こども基本法

こどもガイドブック

FTCJ 編

平尾 潔／甲斐田 万智子／出野 恵子
中島 早苗／平野 裕二 著
まえだ たつひこ 絵

子どもの未来社

はじめに

　みなさん、こんにちは！　この本は、子どもの権利にくわしい弁護士と専門家たち5人で書きました。私たちは、すべての子どもが生まれながらに「子どもの権利」をもっていることを子どもやおとなに伝え、子どもの権利が守られる社会をつくるために日々活動しています。

　そんななか、とてもうれしいできごとがありました。それは「こども基本法」ができたことです（2022年成立・2023年施行）。この法律は、日本で初めて子どもを権利の主体としてとらえ、子どもを社会のまんなかにおいて、大切にしていくためにはどうしたら良いかを定めたものです。「子どもの権利」を守っていくための総合的な法律とも言えます。

　ですから、子どものみなさんに、ぜひこの法律を読んでもらいたいと思って、この本をつくることにしたのです。

　同時に、「こども基本法」がしっかり守られて機能するように、「こども家庭庁」がつくられました。こども家庭庁は、つねに子どもや若者にとっていちばんいいことはなにかを考えながら、いろいろな決まりをつくっていくところです。

　そして、その決まりをつくるときには、子どもや若者の

意見を聴いて、その意見をできるかぎり取り入れることを約束しています。

　また、子どものためになにをするかという、具体的な政府の取り組みを示す「こども大綱」もつくられました（2023年12月）。つくるとちゅうで意見募集が行われ、その意見の半数以上が、子ども・若者からのものでした。今までは、子どもに良いことをほとんどおとなが決めていましたが、「こども基本法」では、国や地域は子どもや若者の声を聴き、子どもとおとながパートナーになって、ルールや方針を決めなくてはならないと定めています。

　さて、第1章では、「こども基本法」になにが書かれているのかを読んでいきます。第2章では、「こども基本法」のもとになっている国連「子どもの権利条約」と、そこで定められている「子どもの権利」について説明します。第3章では、子どもの権利が守られていないと感じた時、どうしたら良いのかをQ＆Aで解説し、第4章では、子どもの権利を使う方法と、実際に行動を起こした子どもたちのことを紹介します。最後に、第5章では「こども大綱」のポイントを解説しました。

　子どもや若者のみなさんは、「こどもまんなか社会」を実現するための主役です！　「こどもまんなか社会」をつくるには、みなさんの声や力が必要なのです。ぜひ、この本で、子どもが大切にされる社会をつくるにはどうしたらよいのか、いっしょに学び、考えていきましょう。

もくじ

はじめに………2

第1章　読んでみよう！ こども基本法……………7

はじめに……… 8　　第 1 条……10　　第 2 条……12　　第 3 条……14

第 4 条………17　　第 5 条……18　　第 6 条……19　　第 7 条……20

第 8 条………21　　第 9 条……22　　第10条……23　　第11条……24

第12条………26　　第13条……27　　第14条……28　　第15条……29

第16条………30　　第17条……31　　第18条……32

第2章　子どもの権利って？……………………33

そもそも権利ってなに？……………………………………34

「子どもの権利条約」と「こども基本法」の関係は？………35

「こどもまんなか社会」って？……………………………37

子どもの権利は守られている？……………………………40

権利をどう使う？……………………………………………47

「子どもの権利のレンズ」で見る…………………………50

第3章　権利が守られていないときは？…………51

先生がクラスの子をたたいた ………………………………52

給食を残してはいけないの？………………………………54

先生に質問しても答えてもらえない………………………55

自分の時間がとれない………………………………………56

いじめを信じてもらえない…………………………………57

悩みを相談する場所がない…………………………………59

痴漢にあってしまった………………………………………60

好きになるのは男？ 女？ それとも……………………62

女に生まれると損なの？……………………………………64

お金がなくて進学できない…………………………………65

旅行につれていってもらったことがない…………………66

発達障害かもしれない ································ **67**

家事と弟とおじいちゃんの世話と ················ **68**

車いすを使っていると…… ·························· **69**

日本の言葉がわからない ··························· **70**

怒られるとベランダに出される ··················· **71**

親が口うるさい ····································· **72**

第 **4** 章　どうやって権利を使うの？ ··············· **73**

権利のチケットを使ってみる ······················ **74**

行動を起こすための 5 つのステップ ··············· **77**

ステップ1 日常で「モヤモヤ」することを書きとめてみよう ········· **77**

ステップ2 あなたの「モヤモヤ」を発信しよう ··············· **79**

ステップ3 「モヤモヤ」を深堀りしてみよう ·················· **81**

ステップ4 他の仲間のアクションを参考にしよう ·············· **83**

ステップ5 あなたの安心と安全・あなたと周囲の
ウェルビーイングを大切に ······················· **89**

第 **5** 章　「こども大綱」って？ ··················· **95**

「こども大綱」ってなに？ ·························· **96**

どうやってつくられたの？ 子どもの意見は聴かれた？ ···· **97**

「こどもまんなか社会」って、なに？ ··············· **99**

「こどもまんなか社会」をどうやって実現するの？ ······ **100**

基本的な方針を実行に移していくために、なにをするの？ ··· **102**

こども・若者の意見を施策に反映するために、

　どんなことをする？ ····························· **107**

こども大綱には具体的な目標が書かれているの？ ······· **109**

こども大綱は、これからどんなふうに実行されていくの？ ······ **110**

おわりに(大人のみなさんへ) ················ **112**

資料「こども基本法」全文 ················ **117**

この本に登場する人たち

＊こども基本法と子どもの権利について、教えてくれたり、相談にのってくれたりする弁護士さんと専門家の人たち。

平尾 潔さん

甲斐田 万智子さん

出野 恵子さん

中島 早苗さん

平野 裕二さん

＊みんなにわかりやすい解説をしてくれるよ。

ペンペン　　よろしくね！

【注】
＊「こども基本法」の全文は巻末に掲載しています。こども家庭庁のＨＰでも読むことができます。
＊法律名・法律の条文では「こども」を、その他の説明文では「子ども」の表記を使用しています。
＊「障害」の「害」の字は、国連の障害者権利条約での「障害は本人でなく社会の側にある」という考え方に基づいて本書では漢字を使用しています。

第1章

読んでみよう！
こども基本法(きほんほう)

はじめに

平尾

　これから読む「こども基本法」は、2022年に成立して、2023年4月1日から実施された法律です。

　日本は、1994年に「子どもの権利条約（児童の権利に関する条約）」を守ると約束しました（批准と言います）。この条約には、子どもの権利がくわしく書かれていて、世界のほとんどの国と地域が守ることを約束しています。

　「こども基本法」には、「子どもの権利条約」の基本原則がすべて盛りこまれています。そこがとても大切なところなのです。

　「子どもの権利条約」の4つの基本原則というのは、次のものです。

基本原則

1　差別の禁止

　子どもや親の人種や肌の色、男か女か、あるいはそのどちらでもないか、どんな言葉を話すのか、どんなことを信じているのか、出身、お金持ちかどうか、障害をかかえているかどうか、生まれたときのようすなどで差別されることはありません。

2　子どもにいちばんいいことを考える

　子どもに関係することについては、子どもにとっていちばんいいことはなにか、を考えなければいけません。

3 安心、安全に成長していく権利

子どもには、安心して成長していく権利があります。ごはんを食べて大きくなるだけではなく、虐待、体罰、いじめなどから守られ、教育を受けることを保障され、仲間と遊ぶなど、学校でも家庭でも、安心して安全に成長していく権利です。

4 意見を言い、その意見が尊重される権利

子どもは、自分に関係するすべてのことについて、意見を言う権利をもっています。

2023年12月には、国が「こども基本法」に基づいた「こども大綱」をつくりました（くわしくは第5章へ）。この大綱では、「こどもまんなか社会」を合言葉に、すべてのおとなが子どもの権利を大切にして社会をつくっていくと宣言しています。

「こども基本法」ができたことで、おとなたちは、子どもの権利についてよりよく知って、大切にしていかなくてはなりません。子どものあなたもぜひ、この本で「こども基本法」や子どもの権利について知ってください。

第1条

目的

　「こども基本法」は、日本国憲法と子どもの権利条約の精神を大切にしています。

　すべてのこどもが、
- 生きていくための基礎をつくりあげる
- だれもが心も体も健康に成長することができる
- 心や体がどんな状態にあっても、また、どんな環境にいても、その権利が守られる
- これからずっと幸せな生活を送ることができる
という社会をつくることを目指します。

　このために、社会全体で子どものための施策に取り組むことができるように、基本理念を決め、国の責任などを明らかにし、こども施策の基本になる事がらを定め、こども政策推進会議を設置するなど、こども施策を総合的に推進することを目的とします。

「こども基本法」は子どもの権利を守る！

「こども基本法」は、「日本国憲法」や、「子どもの権利条約」に書かれた、子どもの権利を守るという精神を大切にしてつくられたんだ。子どもの権利を守るための基本的なことが、「こども基本法」には定められているよ。

「こども施策」という言葉は、「こども基本法」に何度も出てくるよ。むずかしい言葉だけど、ようするに子どものためになにをするか、ということなんだ。

日本国憲法の精神とは？

日本国憲法は、国民のだれもが、どうやったらしあわせに生きられるかを考えてつくられていて、その中に「基本的人権」が定められています。この「基本的人権」は、生まれたときからだれでももっていて、だれもが人間らしく、そして、しあわせに生きることを保障するための権利です。これは、侵すことのできない永久の権利と定められています。

第2条
定義

1 こども基本法では、「こども」とは、心や体が育っているとちゅうの人のことを言います。

2 こども基本法では、「こども施策」とは、次に書くことと、それといっしょに行うことを言います。
　一　赤ちゃんからおとなになるまでの心と体の育ちを、切れ目なく支援すること
　二　こどもを育てる喜びを実感できるように、仕事選び、結婚、赤ちゃんを授かり、産むこと、こどもを育てることなどについて、それぞれの段階に応じて支援すること
　三　家庭やその他の場所での、こどもが育つ環境をととのえること

「切れ目ない支援」をする

赤ちゃんからおとなになるまで、心も体も十分に育っていくのを支援するって書かれているね。ここには、おとなになった後の仕事選びや、結婚して赤ちゃんを産んで育てることまで含まれているよ。さらに、家庭など、子どもが育つ場所の環境をよくするための、おとなに対する支援も含まれているんだ。支援がずっととぎれないようになっているんだね。

「こども」の定義については、平尾さんが教えてくれるよ。

「こども」とは？

こども基本法の「こども」とは、「心や体が育っているとちゅうの人」を言います。18歳でおとなになったらすぐに支援終了では、こまる人が出てくるからです。就職や結婚、出産も支援することになっているので、年齢でくぎらないことにしているのです。

だけど、ほかの法律や条約では、年齢でくぎられていることが多いです。日本の民法、児童虐待防止法、児童手当法などでは、18歳になっていない人が「子ども」、18歳になると、「成人（おとな）」として扱われます（児童手当法は18歳になってから最初の3月31日まで）。子どもの権利条約も同じように18歳でくぎっています。世界でも、子どもを「18歳未満」としている国が多いんですよ。

第3条

基本理念

こども施策は、次のことを基本的な考え方（基本理念）として行わなければなりません。

一　すべてのこどもを、その人自身を大切にし、その基本的人権が守られ、差別を受けることがないようにすること

二　すべてのこどもが、きちんと育てられること、生活が守られること、愛情を受けて守られること、すこやかな成長・発達と自分で考えて生きていくことが守られること、その他の福祉に関する権利が守られること、教育を受ける機会が与えられること

三　すべてのこどもが、その年齢と発達に応じて、自分に直接関係するすべてのことについて意見を言う機会が与えられ、いろいろな社会的活動に参加する機会が確保されること

四　すべてのこどもが、その年齢と発達に応じて、その意見が大切にされ、そのこどもにとってもっともいいことがなにかを優先して考えること

五　こどもを育てる父母やその他の保護者に、十分な支援を行うこと
家庭で育つことがむずかしいこどもには、できるかぎり家庭と同じような育つ環境をととのえること
こどもが心も体もすこやかに育つことができるようにすること

六　家庭や子育てに夢をもち、こどもを育てることに喜びを感じられるような社会をつくること

「子どもの権利条約」の基本原則が入っている！

ここには、「子どもの権利条約」の4つの基本原則がぜんぶ入っているんだ（基本原則については8〜9ページを見てね）。「こども基本法」が、「子どもの権利条約」を大切にしていることがよくわかるね。こども施策を行うときには、これらの考え方を基本に進めなければならないんだよ。

子どもの権利条約	こども基本法
1 差別の禁止 →	第3条の一号
2 子どもにいちばんいいことを考える →	第3条の四号
3 安心、安全に成長していく権利 →	第3条の二号
4 意見を言い、その意見を尊重される権利 →	第3条の三号と四号

一号について

一号では、「子どもの権利条約」の基本原則の1つである、差別の禁止が書かれています。

そのほか、「日本国憲法」の、
- だれでも生まれたときからもっている、基本的人権を大切にすること（第11条）
- 個人の尊重（国や集団ではなく、一人ひとりを大切にするということ）（第13条）
- 法律のもとでだれも差別されないこと（第14条）

も書かれています。

＊法律では、条文の中の数字を1項、2項、一号、二号と呼びます。

1章 読んでみよう！ こども基本法

第 3 条　基本理念

二号について

　二号では、「子どもの権利条約」の基本原則の 1 つである、安心、安全に成長していく権利が書かれています。この権利を守って、子どもの成長を支えていくということです。

三号について

　三号では、「子どもの権利条約」の基本原則の 1 つである、意見を言う権利が書かれています。
「自分に直接関係するすべてのこと」と書いてあるのは、どこの学校に行くか、どんなスポーツをするか、どういう仕事や会社を選ぶかなど、自分に関係のあることについて、自分の意見を言っていいんだということです。
「いろいろな社会的活動」というのは、ボランティア活動などや、国や地方自治体が子どもに関係のあることを決めるとき、子どもの意見を聴くための会議に参加することなども含まれています。

四号について

　四号にも、「子どもの権利条約」の基本原則の 1 つである、意見を言う権利が書かれています。ここには、直接自分に関係のあることについてだけ、とは書かれていないのに気づきましたか？　これは、社会のいろんなことについても自分の意見を言っていい、ということです。

五号について

　子どもは基本的には家庭で育つので、家庭で子育てをするお父さんやお母さんや保護者に十分な支援を行うこと、いろん事情があって家庭で暮らせない子どもたちには、家庭と同じような環境をつくって、心も体ものびのびと育っていけるようにすることが書かれています。

第4条

国の責務

国は、第3条にかかれた基本理念に従って、こども施策を総合的に定め、行う責任があります。

「こども家庭庁」ができた！

どんな考え方で「こども施策」を行うかは第3条に書かれていたけど、具体的になにをするのかを決めて、それを行う責任は、国にあるんだ。

そのために国は、「こども家庭庁」をつくったんだよ。これまで、子どものことは、いろんな役所が分けて受けもってきたけど、これからは、こども家庭庁がリーダーシップをとって決めていくことになったんだね。こども家庭庁は、「こどもまんなか社会」をめざしているよ。

こどもまんなか社会って？

こども家庭庁では、つねに、子どもや若者にとっていちばんいいことはなにかを考えながら、いろいろな決まりをつくっていくことになりました。そして、その決まりをつくるときには、子どもや若者の声を聴いて、その意見を取り入れることにしたのです。つまり、子どもや若者の声をまんなかにして社会をつくっていこう、ということです。このことを表す大事な合言葉が「こどもまんなか社会」です。

第5条

地方公共団体の責務

地方公共団体は、基本理念に従って、国と、ほかの地方公共団体と協力しながら、その地方公共団体のこどもの状況に応じて、なにをするかを決めて、行わなければなりません。

地方公共団体って？

地方公共団体というのは、北海道、東京都、沖縄県といった都道府県や、その中にある市などを運営する役所のことで、「自治体」とも呼ぶよ。

北海道と沖縄県では気候もちがうし、東京都のような都会と地方の市とでは、子どもの数も、子どもたちがかかえている問題もちがうよね。だから、それぞれの都市の事情に合わせて、やることを決める必要があるんだね。でも、子どもの権利がちゃんと守られるように、基本理念にそって、国やほかの地方公共団体と協力して行うと決められているんだよ。

「市町村」の子育て支援

全国の地方公共団体では、さまざまな子育て支援をしているよ。たとえば、子どもの医療費（お医者さんにかかるときのお金）を助成したり、「子育て支援パスポート」を発行して、子育てにかかわる場所で割引やサービスを受けられるようにしたり、学校の給食費を助成したり、家を借りたり、引っ越ししたりするお金の一部を出したりなど……。それぞれの市町村で必要とされることを考えて支援を行うから、内容もちがってくるんだね。

第6条

事業主の努力

人を雇っている組織や個人は、基本理念に従って、雇っている人の仕事と家庭の生活がどちらも充実するように、必要な働き方をととのえるように努力しなければなりません。

親と子どもの時間をつくるために

子どもがのびのびと安心・安全に育つためには、その世話をするおとなが、家でごはんをつくったり、子どもとゆっくり話したり、遊んだりする時間がとれないとね。

でも、仕事がいそがしくて、子どもが起きている時間に家に帰れない親もけっこういるんだ。そこで、働いている人が、仕事と家庭生活のバランス（「ワーク・ライフ・バランス」と言うよ）がとれる生活ができるように、会社など、人をやとっているところが努力するように決まったんだ。

ワーク・ライフ・バランスって？

日本では、長いこと、ひたすら熱心に働くことがよいとされてきたんだ。お父さんは会社で働き、お母さんは家で家事・育児をするという、役割分担をする家庭も多くあった。でも今は、お父さんもお母さんも働いている家庭がふえたよね。残業をなくしたり、働く時間を選べたら、保育園の送り迎えや、子どもと遊んだり楽しんだりする時間をもっとつくることができるし、生活にもゆとりがでるよね。それに、ワーク・ライフ・バランスがとれれば、仕事が長続きしたり、仕事に生かせる勉強をしたり、リフレッシュしたりもできる。会社など、人をやとっているところにとってもいい点があるんだよ。

第 7 条

国民の努力

国民は、こども基本法の基本理念を大切にし、こども施策について関心と理解を深め、国や地方公共団体が行うこども施策に、努力して協力します。

国民も協力していく！

子どもの権利を大事にして、国や地方でなにかやろうとしたとき、まわりのおとなたちが、それを理解していなかったらどうなる？ きっと、うまくいかないよね。子どもの権利も大切にされないかもしれない。

そういうことのないように、とくにおとなは、「こども基本法」の考え方を理解して、それにそって行われる「こども施策」に関心をもって、努力して協力しなければならないんだよ。国民のみなさん、よろしくお願いします！

第8条

年次報告

政府は、毎年、国会に、日本の中でのこどもをめぐる状況と、政府がどんなこども施策を行ったのかを報告して、公表しなければなりません。

2　前項の報告には、次のことを含まなければなりません。

一　少子化の状況と対策

二　こども・若者の状況と対策

三　ごはんが食べられない、必要なものが買えないなどのこどもの貧困の状況と対策

「子どもの状況と行ったこと」を報告・公表する

政府が出す報告書を「白書」と言う。もとは白い表紙だったから、そう呼ばれるようになったんだ。白書はだれでも読むことができるよ。

こども施策が行われたら、政府は、子どもが今、どんな状況にあるかとあわせて、報告を書かないとならない。これをまとめたのが「こども白書」だ。そして、国会で公表することになっている。

いままで、①少子化（子どもの生まれる数が減っていること）の対策、②子ども・若者支援、③子どもの貧困（ごはんが食べられない、必要なものが買えないなど、十分なお金がないこと）の対策の3つをべつべつに出していたんだけど、これからは「こども白書」1つにまとめられることになったんだ。

＊第1回目の「令和6年版こども白書」は、こども家庭庁HPから見られます。
https://www.cfa.go.jp/resources/white-paper

1章 読んでみよう！ こども基本法

第9条

こども施策に関する大綱

1 政府は、こども施策を総合的に進めるため、こども施策について基本的なことを決めなければなりません。これを、「こども大綱」といいます。
2 こども大綱では、次のことについて決めなければなりません。
　一　こども施策の基本的な方針
　二　こども施策の大切なこと
　三　一、二に書いたほか、こども施策を進めるために必要なこと

＊3項以下略

「こども大綱」って？

「こども基本法」には基本理念が定めてあるけど、それだけでは子どものためにどんなことをやるのかわからないよね。だから、もう少し細かく、具体的なことを決めておかないとならないんだ。それが書かれているのが「こども大綱」だよ（2023年12月政府決定）。「こどもまんなか社会」をつくるために、具体的になにをすればいいか、貧困対策、虐待や自殺防止策など、いろんな面から検討されてつくられたんだ。少しむずかしいけど、だれでも読めるようにこども家庭庁のHPに公表されているよ。

くわしい解説は第5章を読んでね。

第10条

都道府県こども計画など

1 都道府県は、こども大綱を参考にして、それぞれの都道府県のこども施策についての計画（「都道府県こども計画」）をつくるように努力しなければなりません。

2 市や町や村は、こども大綱（「都道府県こども計画」がつくられているときは、「都道府県こども計画」）を参考にして、それぞれの市や町や村の「こども施策」についての計画（「市町村こども計画」）を定めるように努力しないとなりません。

＊3項以下略

都道府県、市町村のこども計画って？

「こども大綱」は政府がつくるものだけど、それぞれの地域の事情や状況にあわせて、都道府県は「こども計画」をつくっていくんだ。そのとき参考にするのが「こども大綱」だよ。そして市区町村は、「こども大綱」と、「都道府県こども計画」があるときにはそれを参考にして、さらに「市区町村こども計画」をつくる努力をするんだ。「努力」となっているから、かならずつくらなくちゃならないわけではないんだね。

でも、もしきみの住んでいる都道府県や市区町村に、「こども計画」がなかったら、「つくってください」と、たのむことができるんだよ（次ページ、第11条を参考にしてね）。

第11条

こども施策に対する こども等の意見の反映

国と地方公共団体は、こども施策を決め、それを行い、うまくいっているかどうかを確認するときは、そのこども施策の対象になっている、こども、保護者、その他の関係者の意見を反映させることができるようにしなければなりません。

こどもの意見を聴く！

子どもが意見を言う権利は、「子どもの権利条約」の基本原則の1つ（意見表明権）でも、「こども基本法」の第三条三号、四号でも、基本理念として書いてあるよ。

子どもに関係のあることや、子どもがしあわせになるためには、子どもの声を聴くのはあたりまえだよね。なのに、これまでは、おとながかってに決めることも多かったんだ。さらに、子どもの意見を生かしていくための方法も、考えてつくるように定められている。聴くだけじゃなくて生かすこと、これはとても大事なことだよ。

こども家庭庁では、子どもや若者がさまざまな方法で自分の意見を表明し、社会に参加することができる「こども若者★いけんぷらす」（**https://www.cfa.go.jp/policies/iken-plus**）という取り組みを行っています。こども家庭庁をはじめ、各省庁が子どもたちから意見を聴き、子どもや若者にかかわる制度や政策をよくすることにつなげていくためです。

また、子どもが意見を伝えやすい雰囲気をつくるために、「ファシリテーター」というおとながサポートしたり、子どもの意見を政策にどう生かしたか、生かさなかった場合はどうしてなのか、その理由を伝えることなどを大切にしています。

あなたの住んでいる市区町村、都道府県、国のさまざまな機関が、政策に関して意見をする場をそれぞれつくっています。対面（リアル／オンライン）で会議に参加する、Webアンケートに答える、チャットで書きこむなど、方法はいろいろあります。あなたの住んでいるところが、どうやって子どもの意見を聴いているのか調べてみてください。

子どものみなさんは、「もっとこうなればいいのに」とか、「ここがいやだ！」など、なんでも思ったことをどんどん伝えていってください。

第12条

切れ目ない支援の体制整備

国は、こども施策についての支援が、支援を必要とする理由、支援を行う機関、支援の対象となる人の年齢、住んでいる場所によってとぎれてしまわないように、支援を総合的、一体的に行う体制を整えるなど、必要な整備を行います。

切れ目ない支援を行うために！

「こども基本法」以外でも、国はいろんな支援を国民にしているんだよ。だけど、それが18歳になったとたんに打ち切られたり（「年齢の壁」）、引っ越したりすると打ち切られたり、「ここまでは○○省の仕事です。そこから先は××省の仕事です」というように、支援を行う省庁が分かれていて、うまく引きつがれないこともよくあるんだ。これは「縦割りの壁」とよばれるよ。

子どもに対する支援では、こういうことが起こらないように、切れ目のない支援を続ける制度を国が整えることになったんだ。

第13条

関係者の連携の確保等

1 国は、「こども施策」がきちんと問題なく行われるように、医療、保健、福祉、教育、療育等の仕事をしている機関どうしが、きちんと連携できるように努力しなければなりません。

2 都道府県や市町村は、「こども施策」がきちんと問題なく行われるように、1に書いた仕事をしている機関と地域で、子どもの支援を行う民間の団体がしっかりと連携できるよう努力しなければなりません。

3 都道府県又は市町村は、2に書いた連携をしっかり行うことができるよう、「こども施策」の事務のための協議と連絡、調整を行うための協議会をつくることができます。

4 3に書いた協議会は、2に書いた関係機関と民間団体、その他の都道府県又は市町村が必要だと思う人で構成します。

第14条

関係者の連携の確保等

1　国は、第13条１項に書いた連携がきちんとできるようにするため、個人情報をきちんと取り扱いながら、第13条１項に書いた機関が行うこどもの支援に役立つ情報を、共有することを促進するための情報通信技術の活用など、必要なことを行います。

2　都道府県と市町村は、第13条２項に書いた連携がしっかりとできるようにするため、個人情報をきちんと取り扱いながら、第13条２項に書いた関係する機関と民間の団体が、こどもの支援に役立つ情報を共有するための情報通信技術の活用など、必要なことを行うように努力します。

いろんな機関がつながって協力する！

　こども施策は、子どもの生活を広くとりあつかうから、いろんな分野の人たちが協力する必要があるんだ。「ここは医療が専門です。教育の問題は知りません」「うちは福祉が専門です。保健については保健所に聞いてください」といったように、それぞれが自分の仕事だけやっていたのでは、こども施策はうまくすすまないよね。だから、13条と14条で「しっかりつながって協力しあうように！」と決められたんだよ。

第15条

こども基本法と子どもの権利条約を広く知らせる責任

国は、「こども基本法」と「子どもの権利条約」の趣旨と内容について、広報を行い、国民によく知らせて、わかるように努力しなければなりません。

子どもの権利を知らせるのは国の責任だ！

子どもの権利について、みんなはどんなことを知っているかな？　あまり学校では習わないかもしれないね。でも、自分たちがどんな権利をもっているのかを知らなければ、その権利を使うこともできないよね。それに、権利を使おうと思っても、まわりのおとなが子どもの権利を知らないと、相手にしてくれないかもしれない。

だから、子どもにもおとなにも、子どもの権利（こども基本法と子どもの権利条約）をよくわかるように説明することを、国が責任をもってやります、というのがこの条文だよ。

第16条
必要なお金を確保する

政府は、こども大綱にしたがって、こども施策を幅広く行い、充実させます。また、こども施策を行うために、必要な財政上の措置をとるように努力します。

政府は必要なお金を用意する！

こども施策をきちんと幅広く行うためには、お金もかかるよね。そのお金を確保するために政府が努力する、と書いてあるよ。

第17条

こども政策推進会議をつくる

1. こども家庭庁に、特別の機関として、「こども政策推進会議」をつくります。
2. こども政策推進会議は、以下のことについての事務を行います。
   一 こども大綱の案をつくること
   二 そのほか、こども施策の重要なことを話し合い、こども施策を進めていくこと
   三 こども施策について、必要な機関どうしの調整をすること
   四 そのほか、ほかの法令で、こども政策推進会議がやると決まったこと
3. こども政策推進会議は、2項に従ってこども大綱の案をつくるときに、こどもと、こどもを育てているおとな、大学の先生などの学識経験者、地域でこどもの支援を行う民間の団体など、関係者の意見を反映させるために必要な手続きをとります。

1章 読んでみよう！ こども基本法

第18条

こども政策推進会議の組織

1　こども政策推進会議には、会長と委員がいます。
2　会長は、内閣総理大臣です。
＊3項以下略

こども政策推進会議は司令塔だ！

　こども政策推進会議は、こども家庭庁の中にできたとくべつな機関だ。ここで、「こども大綱」の案をつくり、こども施策について重要なことを話し合って進めていくことになった。こども施策がきちんと行われるように、必要な機関の連携のために調整するなど、政府全体の司令塔の役割をはたす場所だよ。
　そして、子どもと、子どもを育てているおとな、先生、民間の団体など、子どもにかかわる関係者の意見を生かすために、必要な手続きをとることになっているよ。

第2章

子どもの権利って？

そもそも権利ってなに？

1章の「こども基本法」に、「子どもの権利条約」のことが出てきたよね。子どもの権利条約には、いろいろな子どもの権利が定められているってことはわかったけど、そもそも権利ってなんだろう。この章では、子どもの権利についてくわしい甲斐田万智子さんに、権利についていろいろ聞いてみようと思うんだ。

甲斐田

そもそも「権利」ってなに？　という質問ですね。権利というのは、だれもが生まれたときからもっていて、だれにもうばうことができないものです。人が人らしく生きるために必要とされるすべてのもの、その人がその人らしく生きられるためのものでもあります。権利は、もちろん、子どもであるあなたにもあるんですよ。

権利は、目には見えないけど、だれもが生まれたときからもっているものなんだね。でも、「子どもの権利」って「子ども」がついているのは、おとなの権利とはちがうからなの？

子どももおとなも同じ権利をもっています。でも、子どもがおとなとちがうのは、1つには、子どもは日々成長しているということです。だから子どもには、日々成長するために必要なものがあたえられる権利があります。2つ目は、子どもはおとなより弱い立場にあるということ。だから子どもには、子どもにとって悪いことから守られる権利があって、おとなはその権利を守る必要があります。

そして、子どものさまざまな権利が守られているか、子どもがちゃんと権利を使うことができているかを、おとな、自治体（地方公共団体）、政府は、責任をもって見守っていかなければなりません。

なるほど。子どもとおとなでは状態や立場がちがうから、権利にもちがいがあるんだね。

「子どもの権利条約」と「こども基本法」の関係は？

子どもの権利条約は1989年にできたんだね。どうしてこの時期につくられたのかな？

「子どもの権利を守ろう！」という話し合いが世界で起こり、宣言として発表したことは過去に2度ありました。1度目は、1924年に国際連盟で「子どもの権利に関する宣言（ジュネーブ宣言）」がつくられたときです。おとなが起こした第一次世界大戦によって、たくさんの子どもがけがをしたり、命を落としたりしたことから、子どもを守っていかなければならないと考えられたからです。その後、国際連合（国連）が設立されたあとの1948年に、「世界人権宣言」が採択され、すべての人は生まれながらに「人権」をもっていることが世界で認められました。そして、子どもの権利も同じように守っていくための宣言が、1959年に国連で採択されたんです。けれど、宣言だけでは法的に大きな力をもたないため、1979年の国連児童年をきっかけとして、世界共通のルールをつくる話し合いが始まりました。その10年後の1989年に、国連で「子どもの権利条約（児童の権利に関する条約）」がつくられたんですよ。

「子どもの権利条約」と「こども基本法」の関係は？

最初は、戦争でたくさんの子どもがひどい目にあったことがきっかけだったのか。

でもね、子どもの権利条約には、たんに子どもを守るだけではなく、子どもを1人の人間としてみとめ、子ども参加の権利も定められたんですよ。ポーランドには、**ヤヌシュ・コルチャック**（1878〜1942）というユダヤ人で、子どもの施設をつくった医師であり作家がいました。コルチャック先生は、「子どもはすでに1人の人間であるから、子どもたちが意見を出し、参加していくことが大事だ」と考えて、施設の子どもたちを中心にしてさまざまな実践をしていました。残念ながらコルチャック先生は、ナチスドイツによるホロコースト（ユダヤ人大虐殺）によって、子どもたちといっしょに収容所に送られて亡くなりました。

戦後、ポーランド政府は、コルチャック先生の考えを活かすために、「子どもの権利条約」をつくろうと世界に呼びかけたんですよ。

子どもの権利条約と、「こども基本法」はどういう関係なのかな？

　こども基本法は、第1章にもあるように、子どもの権利条約の精神にのっとって子どものための施策をつくることを定めています（10ページ）。子どもの権利条約の精神とは、かんたんにいうと、子どもを1人の人として認めるということです。本来なら、子どもの権利条約を日本が批准（国として約束する）したときに、条約の精神にもとづく基本法がつくられるべきでした。
　でも、日本政府は「国内法の見直しは必要ない」という考えで、国連子どもの権利委員会（さまざまな国の専門家18人による委員会で各国の条約の実施状況を審査している）から、「法律をつくるように」と強く勧められてもつくりませんでした。国内の子どもにかかわる市民団体や教育者、研究者からの訴えもあって、やっと、こども基本法ができたんですよ。

「こどもまんなか社会」って？

子どもを1人の人としてみとめる、ってどういうことなのかな？

　こども基本法3条（14ページ）と11条（24ページ）で、「子どもの意見の尊重」が定められています。これは、子どもの意見をきちんと聴いて、その意見を反映するということです。また3条には、「子どもの最善の利益」も定めています。おとなの考えや行動を一方的に子どもにおしつけるのではなく、まず、子どもにとっていちばんいいことはなにかを、子どもの声を聴きながら考え、行動するとい

「こどもまんなか社会」って？

うことです。11条では、国と地方公共団体は積極的に子どもの意見を取り入れなければならないとし、子どもの意見を求めて、聴いて、それを反映していく仕組みを具体的につくることになっています。

15条（29ページ）には、こども基本法と子どもの権利について、広く国民に知らせて理解をしてもらわなくてはならないとあります。もし、学校で先生が教えてくれなかったら、子どもたちから「権利について教えてほしい」と提案できるんですよ。親子で参加できる子どもの権利のセミナーを地域で開いてほしい、などと提案するのもいいですね。

子どもたちが権利の主体であるというのは、子どもたちが考えや意見を発信して、それが地域や社会に生かされていくということなんです。

「こどもまんなか社会」も、同じような意味なのかな？

これまでの社会は、おとなが決めた仕組みやルールが中心になってきました。子どもに関係のあることでも、子どもの意見を聴かずにほとんどが決められていました。けれども「こどもまんなか社会」は、子どもの声をきちんと聴いて、子どもといっしょに決めていくのをあたりまえにしようする社会です。こども家庭庁はそれを進めていくと宣言しています。各地の市長も次つぎに、「こどもまんなか社会のためにアクションを起こします」と名乗りをあげています。そして、子どもの声を聴いて反映させるためには、具体的な方法と仕組みを考えて、提案して、予算をとって、さらに人づくり、仕組みづくりもしていかなくてはなりません。

「こどもまんなか社会」、楽しみだなぁ。子どもたちのいろんな意見が生かされるといいなぁ。

子どもの権利条約

生きる権利

第6条 生命への権利、生存・発達の確保

第24条 健康・医療への権利

第25条 施設に入っている子ども

第26条 社会保障を受ける権利

第27条 生活水準の確保

育つ権利

第7条 名前・国籍を持つ権利

第8条 名前・国籍・家族関係を守る

第9条 親からの分離禁止と分離のための手続き

第10条 別々の国にいる親と会える権利

第11条 よその国に連れ去られない権利

第18条 子どもの養育はまず親に責任

第20条 家庭を奪われた子どもの保護

第21条 養子縁組

第23条 障害のある子どもの権利

第28条 教育を受ける権利

第29条 教育の目的

第30条 少数民族・先住民の子ども

第31条 休み、遊ぶ権利

第39条 被害にあった子どもの回復

守られる権利

第19条 暴力などからの保護

第22条 難民の子どもの保護・援助

第32条 経済的搾取・有害な労働からの保護

第33条 麻薬・覚せい剤などからの保護

第34条 性的搾取からの保護

第35条 誘拐・売買からの保護

第36条 あらゆる搾取からの保護

第37条 拷問・死刑の禁止

第38条 戦争からの保護

第40条 子どもに関する司法

参加する権利

第12条 意見表明権

第13条 表現の自由

第14条 思想・良心・宗教の自由

第15条 結社・集会の自由

第16条 プライバシー・通信・名誉の保護

第17条 適切な情報へのアクセス

2章 子どもの権利って？

子どもの権利は守られている？

ところで、子どもの権利って、ちゃんと守られているのかな？

守られていない子どもの権利はたくさんありますよ。世界でも、日本でもね。

えー、そうなの？　それについて教えてください。

はい、まず権利を大きな4つのグループで説明します（前ページの表を見てね）。
　1番目は「**生きる権利（生存の権利）**」です。
　世界では、多くの子どもが5歳の誕生日をむかえる前に亡くなっていて、とくに1か月までの新生児と、1歳までの乳児がたくさん命を落としています。開発途上国（と呼ばれる国）では、子どもを産むときの環境や産ん

だあとの状態が悪かったり、栄養失調になったりします。また、予防接種を受けられない、病気になっても親が治療法を知らない、貧しくて病院や医師にみてもらえないという場合もあるんです。

貧しい生活をしている子どもたちは、十分な食事をあたえられず、きれいな水が飲めずにトイレも不衛生で、病気にかかりやすいです。そのうえ、けがや病気になっても、医療を受けられないことが多いのです。こういう子どもたちは、健康に生きる権利、社会保障を受ける権利が守られていません。

日本では、親が病気になったり働けなくなったりしたら、「生活保護」を受ける権利があります。けれど、社会的な理解が不十分で、役所がきびしい対応をするために保護を受けるのがむずかしい場合があるんです。

となると、子どもたちの生きる権利はどうなるの？

守られていないと言えるでしょう。それに、いじめなどが原因で自ら死を選ぶ子どもや若者も、生きる権利が守られていなかったのでしょう。ほかにも、性教育をきちんと学んでいないために、性暴力から身を守れなかったり、望まない妊娠をすることもあります。また、メンタルヘルスの教育が十分でないと、子どももうつ病になると知らずに、病気に気づけないで命を落とす場合もあります。

これは、子どもたちの健康・医療の権利が守られていないということです。今、世界では「セクシュアル・リプロダクティブヘルス／ライツ（性と生殖に関する健康と権利）」を学ぶことが大切だとされていますが、日本では学ぶ機会が限られています。このことも、国連子どもの権利委員会から問題とされているんですよ。

そうか。生きる権利には、社会保障を受ける権利や、健康でいるための権利も入っているんだね。

> 子どもの権利は守られている？

　2つ目は「**育つ権利（発達する権利）**」です。
　代表的なのは、教育を受ける権利（学ぶ権利）ですね。世界には、そもそも近くに学校がなかったり、車いすを利用する子が学校に通えなかったりという、環境的な問題もあります。また、貧しいために学用品が買えない、家族を養うために働かなくてはならない、弟や妹の世話や家事をしなくてはならない子どももたくさんいます。

　とくに、「女の子には教育が必要ない」という社会的な考えが強いところでは、親は学校へ通わせません。あるいは、外国ルーツ、少数民族、ストリートチルドレン（路上で働いたり暮らしている子ども）などであることが理由で、差別を受けたり、言葉が理解できなくて授業が受けられない場合もあります。移
民や難民の子どもは、その国での地位が認められないと学校に入れないこともあります。これらの子どもたちはみんな、教育を受ける権利（学ぶ権利）が守られていません。

　日本では、社会全体に「子どもは**学校**で学ばなければいけない」という強い考えがあるので、さまざまな場所や方法で学ぶ権利が十分に認められていません。フリースクール、ホームエデュケーションなどの多様な学びの場を選びにくいために、結果的に学べない子どもがいるのです。

　日本の子どもたちは、学校や塾や習いごとで、すごくいそがしそうだよ。

　育つ権利には、遊んだり、休んだりする権利も入っていますよ。子どもが育っていくためには、遊ぶことも、休むことも必要ですからね。けれど、それが権利と認められていないと、

1日中働かされたり、遊んでいるとしかられたりします。日本でも、「遊んでないで勉強しなさい」と親から怒られたり、遅くまで塾に通ったり、休みの日も部活動があったりと、この権利がないがしろにされている子どもがたくさんいます。おとなには、子どもの権利として大切にしてもらいたいです。

遊ぶことも、休むことも、子どもの権利だってわかってうれしいよ！

3つ目は「**守られる権利（保護される権利)**」です。

子どもには暴力や有害なものから守られる権利があります。けれど、世界でも日本でも、親やおとなから暴力を受けている子どもはたくさんいます。身体的な暴力だけではなくて、しつけや教育のためとひどくしかったり、プレッシャーをかけたりするのは、心理的な暴力にあたります。「○○学校に入るためにもっと勉強しなくちゃ！」「こんな低い点数をとってはだめ！」など、子どもを追いつめるのも、スポーツクラブで監督が、「試合にはぜったい勝たなければならない！」と、強い圧力をかけることも心理的暴力で、おとなが暴力と気づかずにやっている場合も多いですね。

身体的な暴力と心理的な暴力はどちらも暴力で、子どもへの虐待になるんだね。

子どもの権利は守られている？

性暴力も一生にわたって大きな心の傷を与えるほど重大なものです。子どもには、親や教師、おとなの性的虐待から守られる権利（34条）があります。親しいおとなであっても、子どものプライベートゾーンをかってにさわったら、性暴力にあたります。

同時に、性的搾取から守られる権利も定められています。性的搾取とは、性的なサービスをさせられたり、性的なポーズを撮影をされたりすることも入ります。こういった「子ども買春」や「子どもポルノ」の被害にあう子どもたちは、世界中にたくさんいるのです。日本では、「JKビジネス」といって、高校生がカフェのアルバイトや、アイドル志望で「プロダクション」に行ったら、だまされて性的行為をさせられたり、その行為を撮影される場合があります。

また、世界で１億６千万の子どもが児童労働（権利が守られずに危険で搾取される状況で働くこと）をさせられています。健康を害する農薬にふれたり、危険な作業をするプランテーション（農園）や工場で働いて、けがをしたり、病気になったり、亡くなったりしています。子どもには経済的搾取や有害な労働から守られる権利（32条）がありますが、守られていない子どもが多くいるのです。

また、売買されたり、誘拐されたりする子どもたちもたくさんいて、奴隷のように働かされたり、逃げられないように閉じこめられて、おとなの性の相手をさせられたりしています。人身売買から守られる権利（35条）が守られていません。

うわぁ、子どもの権利が守られていない子どもたちが、そんなにいるんだ。

麻薬から保護される権利（33条）も大事ですよ。このごろは、お菓子のような形の麻薬やドラッグが売られていて、携帯電話などで注文できるので、子どもが覚せい剤を手にしやすい状況になっています。ドラッグ依存症になって、ドラッグの売人を

やらされることもあるんです。

　戦争などの武力紛争から守られる権利（38条）はどうでしょう。紛争が起こっている国や地域では、けがをしたり殺されたりする子どもたちがたくさんいて、みなさんもニュースなどを見て心を痛めていることでしょう。なかには、さらわれて子ども兵士にさせられたり、兵士の妻にされたりする子どもたちもいます。傷ついた子どもたちは、保護され、回復するための支援を受ける権利（39条）がありますが、多くの子どもがケアを受けられていません。戦争は子どもを恐怖にさらし、あらゆる子どもの権利を侵害する、子どもにとって最悪のものです。

子どもや家族の命をうばう戦争をすぐやめてほしいし、起こさないでほしいな。

　4つ目は「参加する権利」です。
　子どもたちには、自分の意見を言える権利（意見表明権・12条）がありますが、すべての国や社会で守られているわけではありません。日本でも、「子どもに権利を与えるとわがままになる」とか「子どものくせに生意気なことを言うな」などと、まちがった考えや思いこみがおとなに根強くありました。こども基本法では、この権利を大事にして、子どものことを決める時には子どもの意見を聴くことが定められましたから、これから変わるといいですね。（こども基本法3条・11条）

　グループをつくったり、集会を開く権利（15条）も大切です。なぜなら、子どもたちが意見を話し合い、グループとしてまとめて伝えることは大きな力になるからです。すでに、子ども会議や子どもクラブのメンバーになった子どもたちが、ミーティングで話し合ったことを地域から発信しています。

子どもの権利は守られている？

　インドでは、全国から働く子どもたちが集まって話し合い、搾取や暴力が自分だけの問題ではないと気づき、さらに、アジア、アフリカ、ラテンアメリカ（南米）の子どもたちに声をかけて、集まって出し合った要求をまとめて「クンダプール宣言」をつくりました。

　「子どもの商業的性的搾取に反対する第2回世界会議」（2001年　横浜）でも、子どもたちが数日間にわたって話し合い、それを劇にして発表し、「性的搾取のない世界にしてほしい」というアピール文を出しました。

　これらの活動にはおとなのサポートも重要です。おとなは、「子どもが集まるとなにをするかわからない」という不信感をもつのでなく、子どもたちが集まって話し合うことによってパワーを得て、おとなにも大切なことを発信してくれる、と信じてほしいと思います。

すごいな。参加する権利を使って、自分の住む地域や、世界まで変えようとしている子どもたちがいるんだね。

　参加する権利に関係して、子どもが自由に考え、自分の考えをもったり、自分の信じる宗教をえらんだりする自由を認めた、思想・良心・宗教の自由の権利（14条）も大事です。

　また、子どもが適切な情報にアクセスする権利（17条）も重要です。ちゃんとした情報をおとなに伝えてもらわなければ、子どもは考え、話し合って、意見をまとめることはできませんからね。たとえば、子どもに関係する施策の計画があるなら、子どもたちにわかるように情報を知らせなければ、子どもたちは意見を言えないでしょう。子どもたちが情報にアクセスできる環境と、子どもが理解できるその情報を知らせることが必要です。

　表現する権利（13条）は、自分の知ったことや思ったことを、絵に描いたり、劇にしたり、歌にしたり自由に発信できることです。子どもたちはすばらしい表現ができるので、ぜひ、子どもの権利についてもどんどん発信してほしいですね。

権利をどう使う？

権利って、いろいろに使うことができるものなんだね。でも、なにからはじめたらいいかな？

　これからなにかはじめる人たちのために、ポイントを3つにまとめてみますね。
　1つ目は、自分にかかわることで、今までおとなだけで決めていたことに疑問があったら、声に出してみること。
　たとえば家で、門限やゲームの時間など親が決めたルールがあれば、「それは自分のことだから、いっしょに話し合って決めたい」と、親に提案してみるのはどうでしょう。話し合いのなかで、自分はこうしたいと意見を伝えて、それを生かしてもらう権利があることをわかってもらいましょう。
　同じように、学校の校則で「これはおかしい」「これはいやだ」と感じたら、グループやクラスで話し合い、先生に伝えて、学校全体に意見を投げかける機会がもてないか、提案してみましょう。校則は変えていくこともできるものなのです（85ページも参考に）。
　もし、子どもの権利について学ぶ機会がなかったら、先生に「教えてほしい」と申し出てみましょう。同じように「性教育をしてほしい」、あるいは授業のやり方について、「質問の時間をとってほしい」「グループで調べ学習をしたい」などの提案をしてもいいのです。
　地域の公園で「ボール遊び禁止」なら、なぜ禁止なのか、ボール遊びをしたかったらどうすればいいか、意見を言える場所や方法を調べてみましょう。児童館の使い方

権利をどう使う？

を話し合いたい、暗い道に街灯を増やしてほしい、居場所をつくってほしいなど、あなたの身近で意見を出せる問題はいろいろあると思いますよ（4章に具体的な例がのっています）。

なるほど。自分にかかわることに意見を言って、話し合ってみるということだね。

2つ目は、つらいことがあったら1人でかかえこまずに相談するということ。
　つらいと感じるのは、じつはあなたの権利が守られていないことが多いのです。たとえば、いじめにあっていたら、親や先生、親戚のおとな、コーチ、だれでもよいので信頼できるおとなに話してください。とくに暴力を受けていたら、すぐに相談してください（3章も参考に）。
　親から虐待を受けている場合も同じです。身体的暴力はもちろん、きつい言葉を投げつけられたら、それは心理的暴力にあたります。あなたには「もっとやさしく言ってほしい」と言う権利があるし、きつい言葉を定期的に聞いていると脳がダメージを受けると、医学的にもわかっているんですよ。あなたには暴力から守られる権利があるのを忘れないでください。

つらいことがあったら、権利が守られていないかもって考えて、1人だけで苦しまないことが大事なんだね。

3つ目は、参加の権利を使うこと。

　子どもには社会を変えていく力があります。社会をもっとよくしたいと思ったら、仲間をさがしましょう。身近な仲間もいいですが、自治体（地方公共団体）に、「子ども会議」や「子ども議会」をつくる提案をしたら、別の仲間が見つかるかもしれません。

　たとえば、ネットで性的虐待の画像が出てきたり、女性の体があらわになっている広告を見たくなかったら、まずその意見を発信して、同じ意見の仲間を集めます。そして、企業に発信しましょう。企業へ発信できることには、ジェンダーや児童労働や環境問題など、いろいろなテーマがあります。

　また、法律で決めてほしいことは、こども家庭庁の仕組みを利用して、政府に提案できます（25、108ページ）。こども基本法ができて、子どもたちの意見が社会を変えていく可能性が大きくなったんですよ。

なにかやれそうな気がしてきたよ。第4章にも、権利を使った子どもたちの具体的な話がのっているから、読んでみてね。

「子どもの権利のレンズ」で見る

なにかモヤモヤするなと思ったら、「子どもの権利のレンズ」を使ってください。このレンズで見てみると、「これは暴力から守られる権利が守られていないこと」とか、「これは子どもにとってのいちばんいいことが考えられていないからアウト」と気づけると思います。気づいたら、意見を言ったり、仲間をつのったり、行動を起こしはじめられます。

「子どもの権利のレンズ」で見てみる。それはいい方法だね！

たとえば、学校の校則を子どもの権利のレンズで見たらどうなるでしょう？「これは表現の自由を守っていないからアウト！」と気づいたら、友だちにも意見を聞いて、みんなで声を出すことにつなげていけるのではないでしょうか。

子どもたち一人ひとりが権利を知って、権利というレンズを通して、教育、校則、性暴力、差別など、社会のいろいろな問題を発信してほしいです。あなたには意見を言う権利だけでなく、その意見を反映してもらう権利もあることも忘れないでくださいね。

こども基本法ができたことによって、国も自治体も、学校の先生も親もおとなも、みんなが子どもの権利について知って、守らなくてはならなくなったのですから。

第 3 章

権利が守られていないときは？

第1章と第2章で、「こども基本法」のこと、子どもには「子どもの権利」があるってことがわかったよね。そこで、考えてみてほしいんだけど、きみは、自分の権利が守られていないと気づいたことはないかな？
この章では、みんなから届いたいろいろな相談を、「こども基本法」「子どもの権利」と関連する法律をもとに、フリー・ザ・チルドレン・ジャパンの出野恵子さんと、弁護士の平尾潔さんに答えてもらうね。あわせて相談先も載せたよ。

先生がクラスの子をたたいた

担任の先生が、男子をたたいた。女子がさわいだら、教頭先生が教室に来て、なにがあったかを聞いて、先生に注意をして帰っていった……。しばらくして、また、先生がべつの男子をたたいた。「ちょっと頭をはたいただけだ。男子はしょっちゅうふざけて、口で言ってもわからないからな」と、先生は言うんだけど……。（小4）

出野

友だちがたたかれるのを見るのはつらいよね。まして、自分もたたかれたらどうしようって、不安や怖さを感じたかもしれないね。このことはしっかりおぼえておいてほしいんだけど、身近で暴力がふるわれたら、すぐ、だれかに相談してほしい。

あなたには、「いや」と言う権利、逃げる権利、だれかに相談する権利、安心・安全にすごす権利があります（こども基本法3条二／子どもの権利条約27条）。

そして、自分の気持ちを伝えて聞いてもらうことも、大切な権利として

保障されています（こども基本法3条四、子どもの権利条約12条）。

　だれになら相談できそうかな？　お父さん、お母さん、教頭先生、校長先生、スクールカウンセラーなど、あなたの話をさえぎらないでちゃんと聞いてくれる人をさがしてね。友だちといっしょに相談しに行ってもいいし、手紙や電話で相談できるところもあるよ。

平尾

　　頭をたたくという行為は、「体罰」にあたります。そして、体罰は全面的に禁止されています（学校教育法11条）。
　また、人に暴力をふるうことは、「暴行罪」（刑法208条）にあたる可能性があり、それによってケガをした場合は「傷害罪」（刑法204条）にあたる可能性がありますので、場合によっては刑罰を受けることになります。
　体罰をすると、学校（国公立の場合）の先生は「懲戒処分」を受けることがあります。体罰が悪質だったり、くり返したり、隠そうとすると、その分、処分が重くなることもあります。

★ **チャイルドライン・フリーダイヤル　0120-99-7777**
　毎日　午後4時〜9時
　＊携帯電話や公衆電話からも無料。公衆電話は最初にお金を入れ、通話が終わると戻ってくる。
　午後4時〜6時までは混みやすい。https://childline.or.jp

3章　権利が守られないときは？

> 給食を残してはいけないの？

先生に、「給食を残してはいけません」と言われて、昼休みが終わるまで食べている。もともと食べられる量が少ないから、ぜんぶ食べるのはつらいんだ。なかには、きらいで食べられないものもあるんだけどね。週に１回、「班の全員が食べ終わるまで遊んではいけない」日があって、その日になると、友だちは、こっちを見てため息ついたり、にらんだりするんだ。（小３）

給食をぜんぶ食べるのがつらいんだね。食べる量は人それぞれだから、最初から給食の量を減らしてもらえるように、先生に相談してみるのはどうかな？

給食を食べきることと、遊んではいけないという罰がいっしょになっているのはおかしいね。そのせいで、友だちにそんな態度をとられるのもいやだよね。

あなたには、あなたにとっていちばんいいことを考えて行動してもらえる権利（こども基本法３条四、子どもの権利条約３条）があるし、あなたにも友だちにも遊ぶ権利がある（こども基本法３条二、子どもの権利条約31条）。

そして、あなたには、気持ちを伝え、どうしてほしいか意見を言う権利があって、おとなはそれを聴く責任があるんだ（こども基本法３条三、四、子どもの権利条約12条）。

こども大綱にも、教職員による不適切な指導は許されないと書かれているよ（こども大綱30ページ「体罰や不適切指導の防止」）。

お父さん、お母さん、保健室の先生、スクールカウンセラーなど、あなたの話をちゃんと聴いてくれる人に相談してみてね。

＊ もし、あなたに食物アレルギーがあって、その食品が給食に出てきたら、その場で伝えて食べないでね。これは健康と命にかかわる重要なこと！（学校に伝えていても、まちがって出てくることが絶対ないとは言えないので）。

> ### 先生に質問しても答えてもらえない
>
> 授業で質問すると、先生は、「授業の流れからずれている質問だ」とか、「授業が遅れるとみんなのめいわくになる」と言って、答えてくれません。放課後になってから質問に行ったら、「頭が悪いからわからないんだろ」と言われて、とてもショックでした。（中2）

先生に授業で相手にしてもらえずに、「頭が悪い」なんて言われたら、だれだって傷つきます。あなたには、差別されずに教育を受ける権利があるし、自分の学びたい方法で学ぶ権利があります（こども基本法3条二、子どもの権利条約29条）。

身近なおとなで相談できる人はいますか？ もし身近な人に相談しにくい場合は、文部科学省が設置している相談窓口もあります（地域ごとに教育や学校に関する相談ができます）。

また、精神的に傷ついてつらくなったら、カウンセリングを受けるなど、あなたには回復のためのケアを受ける権利があることもわすれないでください（こども基本法3条二、子どもの権利条約39条）。

学校の先生の不適切な発言は、体罰そのものではありませんが、体罰と同じように懲戒処分を受けることがあります。たとえば、東京都教育委員会では、暴言は体罰と同じように教育上不適切なものであり許されないとして、例として授業中に答えをまちがえた子に、「犬のほうがおりこうさん」と言うことなどがあげられています。子どもが悪口を言うとしかられるのに、先生だけがなにを言ってもいい、ということにはならないのです。

★ 子供のSOSの地元の相談窓口（文部科学省）
https://www.mext.go.jp/a_menu/shotou/seitoshidou/06112213.html

自分の時間がとれない

学校の宿題、テスト勉強、授業の予習・復習、塾の宿題など、やることが多すぎて、自由にすごす時間がとれないんだ。友だちとも遊べないし、のんびりできないし、なんだかいつもつかれているんだよね。（小6）

　　　　やることが多すぎれば体もしんどいし、気持ちも苦しくなってくるよね。子どもには、遊んだり休んだりする権利（こども基本法3条二、子どもの権利条約31条）が保証されているけど、日本ではとくにこの権利が守られていないことが多いんだよ。

　ところで、あなたの「やること」は自分で決めたこと？ それとも、周りの人が決めたこと？

　もし、自分で決めたことだとしても、たいへんだったらやめていいんだよ。あなたには、自分にかかわることに意見を言う権利、気持ちを周りに伝える権利（こども基本法3条四、子どもの権利条約12条）がある。周りの人が決めたことに対しても、もちろん同じ。あなたの意見が尊重され、子どもにとっていちばんいいことを考えてもらえることになっているからね（こども基本法第3条四）。

　お父さんやお母さんに、そのことについて「話し合ってみたい」と伝えてみたらどうかな？ 親に相談しにくい場合は、学校の先生やスクールカウンセラー、地域の相談窓口などに相談をして、どうすればいいかいっしょに考えてもらおう。つかれきってしまう前に、周りに相談してね。

> **いじめを信じてもらえない**
>
> 悪口を言われたり、グループからはずされたりするのも「いじめ」だよね？　でも、先生に相談したら、「かんちがいじゃない？」「友だちのことを悪く言うのはどうなのかな」と言われた。それに、クラスのみんなに笑われたとき、先生もいっしょに笑ってた。
>
> やった人たちは軽い気持ちかもしれないけど、やられたほうは本当につらい。学校へ行きたくないし、自分なんていなくていいと思うこともある……。（小5）

　勇気を出して相談したのに、先生にとりあってもらえないなんてつらかったね。先生のほかに、信頼できるおとなはいるかな？　1人でかかえこまずに、あなたの話をちゃんと聴いてくれる人に、もう一度相談してほしい。相談しやすい人が身近にいなかったら、地域の相談窓口や電話相談も利用できるよ。

あなたには、心を回復するための支援を受ける権利があるし（こども基本法3条二、子どもの権利条約39条）、つらい状況から離れるために学校を休んでもいい（こども基本法3条二、子どもの権利条約24条）。ゆっくり休む権利もあるし（こども基本法3条二、子どもの権利条約31条）、休んでいるときには支援をしてもらえるよ（こども基本法3条二、子どもの権利条約28条）。

なにより、あなたはかけがえのない大切な存在で、大切にされ、幸せに生きる権利があるってことを忘れないでね（こども基本法3条一、子どもの権利条約2, 3, 6条）。

　そもそも、いじめかどうかはどうやって決めるのでしょうか。いじめについては法律に、「自分が友だちなどからされたことで心や体に苦痛を感じたらいじめにあたる」と書いてあります（いじめ防止対策推進法2条1項）。そして、いじめをしてはならない、

ということも法律で決まっています（同法4条）。心や体に苦痛を感じたかどうかをかんちがいすることはまず考えられないので、この人がいじめを受けたことは明らかです。それを「かんちがいじゃないの」という先生の言葉は適切ではありません。また、「わざとじゃない」という場合も、された人が心や体に苦痛を感じれば、それはいじめにあたります。

　子どもからいじめについて相談を受けた教職員は、いじめの事実があると思われるときは、学校に連絡するなど適切な措置をとらなければならず（同法23条1項）、通報を受けた学校は、すみやかに事実の確認を行い、その結果を学校設置者（公立の場合は教育委員会）に報告し（同条2項）、いじめをやめさせ、再発を防止するため、複数の教職員で、専門家の協力を得ながら、いじめを行った子に対する指導またはその保護者に対する助言を継続的に行わなければならない（同条3項）と定められています。

　また、いじめられた子とその保護者に対しては、支援を継続的に行わなければならないとされています（3項）。これを行う「学校」とは、いじめ防止等の対策のために学校が設置する組織（同法22条）のことをいいます。

　このように、法律は、いじめの調査、解決、その後のフォローを基本的には学校がやらなければならないと定めています。学校は、いじめの訴えを受けたら、それを軽く受け流したり、放っておいたりせず、きちんと向き合わないといけないと法律は定めているのです。

★ **チャイルドライン**（53ページ）

★ **法務省：こどもの人権110番　0120-007-110**
　月～金まで　午前8：30～午後5：15
　https://www.moj.go.jp/JINKEN/jinken112.html

★ **東京弁護士会：子どもの人権110番　03-3503-0110**
　月～金 午後1：30～4：30　午後5：00～8：00、土 午後1：00～4：00

> **悩みを相談する場所がない**
>
> わたしたちの学校には、スクールカウンセラーの先生が週に1日しか来ないので、気軽に相談ができません。悩みをかかえていた友だちが、少し前に転校してしまいました。相談する場所があったらよかったのにって、思います。（小6）

相談したいと思っても、週に一度しか機会がなければ、タイミングを逃しやすいですよね。相談できなくて悩んでいる友だちを、近くで見ているあなたもつらかったと思います。

「スクールカウンセラーにもっとたくさん来てもらいたい」と、担任の先生や校長先生に伝えてみましょう。ほかの友だちもそう思っていたら、いっしょに伝えに行くのもいいですね。子どもには、子どもにとっていちばんいいことを考えて行動してもらえる権利があります（こども基本法3条四、子どもの権利条約3条）。

ただ、学校には予算などの理由があるかもしれません。国や自治体（地方公共団体、18ページ）には、子どもの状況に応じた対応をする責任があるので（こども基本法4、5条）、あなたの住んでいる自治体のHPに意見を送ったり、地域の議員さんに会って伝えたり、メールを送ることもできます。

また、今、あなたや友だちが悩みをかかえていて、スクールカウンセラーに相談できない場合は、ほかの相談窓口を利用してみてください。

★ チャイルドライン（53ページ）

3章　権利が守られないときは？

痴漢にあってしまった

学校へ来るとき、友だちがバスで痴漢にあってしまいました。あわてて2人で先生のところに行ったら、「短いスカートをはいていたからだ」、「ぼうっとしていたんだろう？」と言われて、友だちはしょんぼり。なぜ、痴漢にあったほうがせめられるの？（中2）

まず、あなたと友だちにしっかり伝えたいのは、「痴漢は犯罪行為で、痴漢をした側が100％悪くて、被害にあった人はまったく悪くない」ということです。先生が言うような、「被害にあってもしかたない服装や行動」なんていうものはありません。被害にあった人を責めるのはまちがいです。先生の言ったことは「二次被害」にあたり、被害にあった人をさらに傷つけます。

年齢に関係なく、その人の同意がなければ、だれであってもかってに体をさわってはいけません。これは身近な人であっても、恋人どうしでも同じです。

また、子どもには性的な暴力から守られる権利（こども基本法3条二、子どもの権利条約34条）があります。もし、友だちが精神的につらいようなら、カウンセリングなどのケアを受ける権利があることも伝えてあげてください（こども基本法3条二、子どもの権利条約39条）。

そもそも、痴漢は犯罪です（各都道府県の条例や刑法で禁止されています）。そう書いてある駅のポスターもありますので、目にした人もいるかもしれません。痴漢をすると、警察につかまったり、刑罰を受けたりする可能性があります。痴漢は、被害者が悪いのではなく、痴漢をする人が悪いのです。

とくに子どもの場合、力が弱いことや、性に対する知識が十分でないことから、痴漢をはじめとする性犯罪のターゲットになりやすいものです。また、子どもに対して性的な興味をもつおとなもいます。このような性の

被害から子どもを守るために、子どもの権利条約ではあらゆる性的搾取、性的虐待から子どもを守ることを定めています（子どもの権利条約34条）。

また、児童ポルノ禁止法（児童買春、児童ポルノに係る行為等の規制及び処罰並びに児童の保護等に関する法律）では、たとえば性欲を興奮させたり刺激したりするために子どもの写真や動画などを持つことすら禁止されています（同法7条1項）。

学校の先生などが子どもに性的被害を加えることも後を絶ちません。このため、「教職員等による児童生徒性暴力等の防止等に関する法律」が2012年にでき、学校の先生などによる子どもに対する性暴力などが厳しく処分されることになりました。

★ **よりそいホットライン　0120-279-338**
　岩手県・宮城県・福島県は　0120-279-226
　（いつでも相談可）https://www.since2011.net/yorisoi/
★ **児童相談所虐待対応ダイヤル　189**（いつでも）
★ **警察相談ダイヤル　#9110**
　（平日午前8：30〜午後5：15／各都道府県でちがいます）

好きになるのは男？ 女？ それとも……

　友だちの恋バナや、テレビやラジオで恋愛の話を聞くたびにモヤモヤするんだ。ほとんどが、男は女を、女は男を好きになる話だから…。学校で、男女で分けられる時もつらく感じる…。自分は、体の性別は女だけれど、中身は男だと思っているから。（中2）

　ぼくは、同性の男の人にひかれます。クラブ活動の先輩が好きなのですが、告白したらきらわれてしまうと思うので、かくしています。自分の将来がどうなるのかとても心配です。（高1）

　学校では更衣室など男女の性別で分けられることがあるので、残念ながら、トランスジェンダーの人にはこまる場面がいくつもあるでしょう。また、異性、同性、どの性を好きになるか、あるいは好きにならないかは、人それぞれで多様です。
　2022年の文科省の生徒指導提要改訂版には、「性的マイノリティに関する課題と対応」が盛り込まれました。"性同一性障害"の生徒については、個別に、生徒の心情などに配慮した対応を行うことが求められています。
　また、LGBT（レズビアン・ゲイ・バイセクシュアル・トランスジェンダー）のほかにも、身体的性、性的指向、性自認などの組み合わせによって、多様な性的指向・性自認をもつ人がいることも解説されています。

こども大綱にも、性と生殖に関する健康と権利（リプロダクティブ・ヘルス／ライツ）を掲げ、充実させることを約束しています（こども大綱13ページ, 注12）。自治体レベルで、パートナーシップ制度を設けるなど社会変化の兆しも見えています。

このように、学校でも社会でも、少しずつ性の多様性への関心や問題意識が高まっています。体の健康と権利のために、多様な性について知識を得る性教育が必要だという要求も出ています（こども基本法３条二、子どもの権利条約29条）。

そして、あなたはありのままの自分で、しあわせに生き、だれからも傷つけられない権利があるのを忘れずに（こども基本法３条一、子どもの権利条約２, ３, ８条）、心配や不安は一人でかかえこまずに専用の相談窓口も利用してみてください。

★ よりそいホットライン（61ページ）
★ レインボー・ホットライン　**0120-51-9181**
　毎月第１月曜日　午後７時〜10時
　NPO法人PROUD LIFE　http://www.proudlife.org/hotline

★ **LGBTQ相談先リスト**　https://nijiirodiversity.jp/513/
　認定NPO法人 虹色ダイバーシティ

女に生まれると損なの？

お母さんは、「女の子なんだから、ズボンはやめてスカートをはきなさい」って言う。先生も、「男子は机はこび、女子はそうじ」とか、男女で仕事を分けることが多い。ほめ言葉も、女の子は「かわいい」で、男の子は「かっこいい」って、おかしくない？　わたしは、女の子に生まれて損をした気分です。（小5）

あなたは、性別で役割を決めつけるような言葉や態度にしんどい思いをしているんだね。それって、わたしもおかしいと思う！

性別に対する思い込みや偏見（ジェンダー・バイアス）は、歴史や社会のなかでつくられてきて、家庭や地域、学校など社会のさまざまな面に残っているんだ。あなたのお母さんも先生も、自分では偏見に気づかないで言っているのかもしれないね。

国は、いろいろな生き方を認め合い、すべての子どもが大切にされる教育が行われることを約束している（こども基本法3条二、子どもの権利条約29条）。学校でも、出席簿を男女混合にしたり、制服を選べるようにしたり、少しずつ変わってきている。子どもたちへの男女平等の理念を推進する学びの充実も図り、教職員等にも無意識な思い込みをもつことがないようにお知らせが出されたり、研修が行われたりしているよ（こども大綱17ページ「ジェンダーギャップの解消」）。

SDGs（持続可能な開発目標）のことは知っているかな？　この中でも、「ジェンダー平等」は重要な課題としてあげられている。たしかに世界では学校に通えないのは女の子のほうが圧倒的に多い。でも、女に生まれて損だと思いつづけるのはいやだよね。

あなたが「おかしい！」と思ったことには声をあげていいんだよ（こども基本法3条三、子ども権利条約12条）。「女だから」という声にめげないでほしいな。第4章（87ページ）も参考にしてね！

> **お金がなくて進学できない**
>
> 私立の学校に進学したかったけど、家にお金がなくてあきらめたんだ。お金のあるなしで学校が決められるなんておかしいと思う。それに、大学へ行くときに奨学金をもらうと、すごい金額になって、社会人になってから返すのがたいへんだって聞いて、よけい気持ちが暗くなった……。（高1）

「奨学金の返済がたいへん」なんてニュースを聞くと、たしかに暗い気持ちになるよね。生まれた環境によって進学が左右される状況は、「子どもの教育格差」と呼ばれているんだ。これは、すべての子どもには質の良い教育を受ける権利がある（こども基本法3条二、子どもの権利条約28条）ことが守られていない状態だから、こども大綱でも重要事項のひとつとして、まっ先に解決すべき問題とされているんだよ（こども大綱11, 18ページ）。

まだ対策は不十分だけど、小学校・中学校向けの就学援助制度、高校生への就学支援金・高等学校等奨学給付金、また高校卒業後に進学を希望する場合の修学支援新制度など、国や住んでいる自治体による支援制度があるから、調べてみて。先生に聞いてもいいね。

こども基本法（3条二）では、「良好な成育環境を確保し、貧困と格差の解消を図り、すべての子どもや若者が幸せな状態で成長できるようにすること」を約束しているし、子どもの意見を聴き取ることは各市区町村の義務になっているから、あなたが住んでいる自治体宛にメールや手紙を書いて、自分の考えを伝えてみてね（伝え方は第4章も参考に）。

> **旅行につれていってもらったことがない**
>
> 夏休みになると、友だちは家族と旅行に行ったり、遊びに行ったりしている。でも、わたしは旅行につれていってもらったことも、海で泳いだこともない。夏は、クーラーのきいている図書館にいることが多くて、学校の給食がないから、いつもおなかをすかせてるの。（小4）

　おなかがすいていると、ぼうっとしたり、イライラするし、なにより体のためによくないね。長期休みには、空腹にも、居場所をさがすのにも苦労しているんだね。
　あなたの住んでいる地域の児童館や公民館に行って、子ども食堂や自然体験教室、NPOが運営する無料の施設やイベントがあるか調べてみてほしい。図書館の司書さんや児童館の職員さん、学童の先生や地域の親しい人に聞いてみるのもいいね。
　家が貧しかったり、親が病気などで生活が大変な家族は、国や地域から支援を受けることもできるよ。住んでいる地域にある「子育て支援センター」などの窓口に相談してみてね。
　子どもには、ちゃんと成長できるように、食べものや着るものを買ったり、住むための環境を整えてもらう権利（こども基本法3条二、子どもの権利条約27条）、遊んだり休んだりする権利（こども基本法3条二、子どもの権利条約31条）があるからね。

★ 地域の相談窓口➡
　『子育て支援センター　相談（住んでいる都道府県や市区町村名）』でインターネット検索する

★ こども家庭庁地域子育て支援拠点事業について
　https://www.cfa.go.jp/policies/kosodateshien/shien-kyoten

発達障害かもしれない

学校で、先生の言っていることが理解できなかったり、自分だけ、友だちとちがうことをしてしまったりすることがよくある。もしかして自分は「発達障害」かもしれないと気づいた。それで、お母さんに、「お医者さんに行きたい」とたのんだら、「うまくできないことを病気のせいにしているんじゃないの？」と言われて、くやしくて泣いた。（中１）

あなたが、自分で「発達障害かもしれない」と気づいて、診断を受けたいと思ったことは、とても勇気がいることだったと思います。なのに、お母さんに相談して、相手にしてもらえなかったのはつらかったですね。

人はそれぞれ成長の仕方やスピードもちがって、だれ一人同じ人はいません。「発達障害は脳の多様的な発達である」と、とらえられるようにもなってきました。

学校の先生や養護の先生、スクールカウンセラーに相談してみてください。あなたには、質の良い教育を受ける権利があるし（こども基本法３条二、子どもの権利条約28条）、もし「発達障害」の診断を受けたら、あなたに合った支援を受けながら、友だちといっしょに勉強・生活する権利、また福祉にかかわる権利や、医療へのアクセスの権利も等しく保証されます（こども基本法３条二、子どもの権利条約23, 24条）。また、将来の自立や社会参加の支援に関しては、こども大綱にも明記されています（こども大綱19ページ「障害児支援・医療的ケア児への支援」）。

> **家事と弟とおじいちゃんの世話と**
>
> 親が離婚して、おじいちゃん、お母さん、弟と暮らしている。お母さんは夜も働きに行くから、学校から帰ったら、弟に夕ごはんを食べさせて、病気のおじいちゃんの世話をしているよ。片づけや洗たくもあるから、宿題をやる時間なんてない。おじいちゃんの調子が悪ければ、学校を休まないとならないんだ。（小６）

毎日学校に通いながら、家では家族のために時間を使っているんだね。本来ならおとながする家事や家族の世話などを日常的に行っているあなたは、「ヤングケアラー」にあたるんだ。子どもが家族の世話をするのは当たり前ではないんだよ。あなたには、教育を受ける権利（こども基本法３条二、子どもの権利条約28条）、遊んだり休んだりする権利（こども基本法３条二、子どもの権利条約31条）があるからね。ヤングケアラーとその家族は、国や地域の福祉・介護・医療・教育の連携プロジェクトチームの助けを受けることができるんだ（こども基本法３条二）。こども大綱でも、身体的・精神的・社会的に将来にわたって幸せな状態（ウェルビーイング）で生活を送ることができるように、重要事項としてヤングケアラーへの支援を掲げているよ（こども大綱22ページ）。

家族のことだから相談しにくいと感じるかもしれないけれど、あなたの近くにいる児童委員（民生委員）や、信頼できるおとな、地域の相談窓口に相談してほしい。

★ **児童相談所相談専用ダイヤル　0120-189-783**
　（いつでも）子どもの福祉に関する相談。オンラインもある
★ **地域の相談窓口➡**
　『ヤングケアラー　相談（住んでいる都道府県や市区町村名）』でインターネット検索すると出てくる

> **車いすを使っていると……**
>
> わたしは脳性マヒで、車いすを使っている。幼稚園は、近所の友だちといっしょに通っていたけど、地元の小学校には入れてもらえなくて、離れた支援学校に通うことになった。小学校も、友だちといっしょに通いたかったな。（小4）

幼稚園からの友だちと、別べつの学校になったのはさびしいよね。あなたには、体や心の障害にかかわらず、希望すればほかの子どもたちといっしょに生活する権利がある（こども基本法第3条二、子どもの権利条約23条）。

地元の学校に通いたいと思ったら、家族に話して、地域の教育委員会に相談してみてね。たとえば、「エレベーターの設置に長期間かかるから、学校での学びには困難が付きまとう」という回答が来るかもしれない。けれど、エレベーターができるまでの期間は、補助の先生に入ってもらうなど、適切なサポートが得られれば通うことができるかもしれない。

いろいろな協力を得るためにも、あなたの思いを伝えることが大事だよ。

「障害者の権利に関する条約」は、2022年6月時点で164の国と地域が署名しています。日本も2014年に批准しました。この条約には差別の禁止、平等とともに、合理的配慮の提供が定められています（同法5条他）。単に差別をしないで平等にするだけでなく、一歩踏み込んで「合理的配慮を提供しなければならない」とされているのです。国内法の「障害者差別禁止法」でも、必要で合理的な配慮をしなければならないと定められています（同法7条2項、8条2項）。これを踏まえて、学校でも合理的配慮をしなければなりません。合理的配慮とは、どのような障害があるかを確認し、必要な支援策を協議し、提供していくというものです。

日本の言葉がわからない

日本へ来て、まだ少ししかたってないから、日本語がよくわからない。そのせいで、勉強が遅れてしまった。言葉のせいなのに「頭が悪い」とバカにされてくやしい。肌の色や髪の色をからかわれたときは、すごく悲しくなる…。(小6)

　自分ではどうにもできないことで、バカにされたり、からかわれたりするのはつらいですよね。すべての子どもは、見た目や言葉、信じていることの違いなどによって差別されない権利があります(こども基本法3条一、子どもの権利条約2条)。

　そして、海外をルーツとする子どもも、日本人と同等の教育が保障されています(こども基本法3条二、子どもの権利条約28条)。なにより、あなたは、ありのままの自分で大切にされるべき存在です(こども基本法3条一、子どもの権利条約3, 8条)。

　まずは学校の先生に相談して、どんな支援があるか聞いてみてください。それぞれの自治体で学習支援ボランティアを学校に派遣していたり、海外にルーツのある子どもの教育支援を行っているNPOが見つかるかもしれません。こまっていることを1人でかかえこまず、あきらめずに、周りのおとなにたくさん話して、力をかりてください。

　もしあなたが難民でこまったことがあるなら、専門の相談窓口を利用してください。

★ 難民専用フリーダイヤル　0120-477-472
　月～金　午前10時～午後5時　認定NPO法人難民支援協会
　https://www.refugee.or.jp/for_refugees/

★ アジア福祉教育財団　難民事業本部　https://www.rhq.gr.jp/

★ NPO法人青少年自立援助センター　YSCグローバル・スクール
　https://www.kodomo-nihongo.com/index.html

怒られるとベランダに出される

小さい時から、お母さんは怒ると、わたしをベランダへ出してカギをしめ、ごはんも食べさせてもらえない。ずっと、自分が悪いことをしたからだと思っていたけど、友だちのお母さんはそんなことをしていないってわかった。お父さんはなにも言わない……。（小5）

あなたはなにも悪くありません。たとえ親であっても、子どもを閉じこめたり、食事をさせなかったりすれば、虐待になります。あなたには逃げる権利と、保護される権利があります (こども基本法3条一・五、子どもの権利条約19, 24条)。

お父さんが味方になってくれないようなら、家の中で起こっていることは外から見えにくいので、すぐにだれかに相談してください。あなたの話をちゃんと聞いてくれて、あなたを守ってくれる人、たとえば学校の先生、校長先生、スクールカウンセラー、児童館の職員などです。無料相談窓口も利用できます。

もし、暴力をふるわれたら、すぐに周りのおとなに助けを求めたり、交番にかけこんだり、警察に電話（110番）してください。とにかく1人でかかえこまないでください。

「児童虐待防止等に関する法律」には、児童虐待についての定義が定められています (同法2条)。ベランダに出してカギを閉めるという行為は、間接的な身体的虐待に当たる可能性があります。ご飯を食べさせないのは「ネグレクト」という虐待に当たる可能性があります。児童虐待は法律で禁じられていますが (同法3条)、今でも後を絶ちません。命を落とす子どもも少なくありませんので、かならず信頼できる人に相談してください。

★ 子どもの虐待ホットライン　06-6646-0088
月～金　午前11時～午後4時（土日祝日・年末年始・8月13日～15日休み）
秘密は守ります。名前は言わなくてだいじょうぶ。

★ 児童相談所虐待対応ダイヤル　189（いつでも）
発信した電話の市内局番等から、近くの児童相談所に電話をつなぎます。

> 親が口うるさい
>
> 何時に寝るか、どこの塾に行くか、休みの日になにをするか、ゲームは〇時間まで…。ぜんぶ親が口出しするから、自分から「こうしたい」って言えないんだ。親なら子どものことをなんでも決めていいの？（小6）

　なんでもかんでも親に決められ口も出されたら、がんじがらめで息苦しくなるよね。
　あなたには、子どもにとっていちばんいいことを考えて行動してもらえる権利があるし（こども基本法3条四、子どもの権利条約3条）、自分に関することは、自分の意見や気持ちを伝える権利がある（こども基本法第3条三、子ども権利条約12条）。
　でも、親にはなかなか話しづらかったりするよね。まずは、「話し合いたい」って伝えてみるのはどうかな。親に余裕がある時間だと落ち着いて話せるよ。「自分に関係することは自分の意見を聞いてほしいんだ」と言って、どのスケジュールをどうしたいか、具体的に提案してみるといいよ。
　スクールカウンセラーなどに相談をして、話の切り出し方や、先生から伝えてもらうなどの方法を考えてもらってもいい。たとえ親であっても、子どもの権利を侵害することはできない。でも、親はきみの権利を侵害しようとしているわけじゃないと思うから、まずは話し合ってみることが大事だね。

第4章

どうやって権利を使うの？

権利のチケットを使ってみる

この章には、実際に権利を使った子どもたちが登場するよ。どんなふうに権利を使ったのかな？子どもたちといっしょに活動してきた、フリー・ザ・チルドレン・ジャパンの中島早苗さんに話を聞いていくよ。

中島

　３章まで読んできて、「権利って言われても、やっぱりなんだかピンとこないなぁ」と感じている人もいると思います。権利は目に見えませんからね。
　そこで私から提案があります。権利を「チケット」のようなものだと考えてみたらどうでしょう。

すべての子どもは「権利のチケット」を持って生まれてきて、そのチケットには、「健康的に安心して生きる」ためのチケット、「休んだり遊んだりしながら自分らしく育つ」ためのチケット、「あらゆる暴力や危険から守られる」チケット、「意見を言う」ためのチケットなど、いろいろなチケットがある、というように。これらの「権利のチケット」は何度でも使うことができて、もし、権利のチケットを奪われている状態なら、「権利を奪われてこまっています！」と、声をあげて助けを求めることができます。そして、権利のチケットは、すぐにあなたに取りもどされるべきなのです。

なるほど。だれもが生まれたときから持っている「権利のチケット」か。それならイメージしやすいね。

では、実際にこの「権利のチケット」をどう使っていくのか。まずは、フリー・ザ・チルドレンを12歳で設立した、カナダのクレイグさんのことを紹介しますね。

貧しさのために働かされる子どもたちをなんとかしたい！

　カナダに住むクレイグは、12歳の時、新聞を見てショックを受けた。世界には、貧しさのために学校に行けずに、毎日まるで奴隷のように働かされている子どもがいることを知ったからだ。

　すべての子どもには、「安心して生きる権利」や「教育を受ける権利」があるのに、それらが守られていないなんておかしい！と、クレイグは強く思った。

　そこで、「子どもの権利」について調べてみると、子どもには「意見を言ったり、グループをつくったりして、社会に参加する権利」があることもわかった。クレイグは決心した。この権利を使って、こまっている世界の子どもたちを助けよう！　と。

　さっそく、学校で友だちに呼びかけて、「フリー・ザ・チルドレン（子どもに自由を！）」という団体をつくって活動を始めた。

　まず、世界には学校に通えないたくさんの子どもたちがいることを広く伝えてまわり、寄付を集めた。その寄付で、世界の貧しい地域に学校を建てたり、井戸を掘ったり、病院を建てたり、家族にニワトリやヤギを渡して生活を支援したりした。

| 権利のチケットを使ってみる |

| 貧しさのために働かされる子どもたちをなんとかしたい！ |

　やがて、子どもたちは次つぎと国をこえて手をつなぎ、支援する輪を広げていった。子どもであるクレイグが声をあげたことで、貧しい地域の子どもたちは、本来もっている権利を取りもどしていったのだ。
　「子どもは、助けられるだけの存在ではありません。子どもには声をあげる権利があり、変化を起こす力もあります。おかしいなと感じたり、人や地球のためになにかしたいなと思ったら、『社会に参加する権利』のチケットを使って、ぜひあなたも世界を変える挑戦をしてみてください。Together, we can change the world!」
　41歳になった今（2024年）も、クレイグは、世界の子どもの権利を守るための活動を続けている。

すごい！
子どもたちの力で世界を変えていったんだね。

　私もクレイグさんたちの活動を知っておどろいた1人です。それで、フリー・ザ・チルドレンの日本支部（FTCJ）を立ち上げて、日本の子どもたちといっしょに活動してきました。日本の子どもたちもさまざまな活動をしていますよ。

行動を起こすための5つのステップ

ステップ1　日常で「モヤモヤ」することを書きとめてみよう

でも、実際に行動を起こすのは、なかなかたいへんじゃないかな……。

そんなあなたに、具体的に5つのステップを紹介します。まず、あなたが毎日の生活のなかで、「なんかおかしいな」とか、「なんかイヤだな」と感じることに注目してみましょう。そういうモヤモヤする気持ちを感じるのは、子どもの権利が守られていないサインかもしれないからです。

どんなことをみんなが感じているのか、FTCJに寄せられた一部を紹介しますね。

▶サッカーのコーチがいつも怒ってきます。なんで？／13歳

▶多様性が大事だという授業をやっているのに、先生の考えを押しつけてくるし、上から目線なのはなぜ！／12歳

▶なぜ、私たち生徒の意見を聞かずに学校のルールを決めてしまうの？／13歳

▶カバンが重すぎる。教科書の量が多くて通学がつらい。／15歳

▶「子どもの権利」を教えてもらわなかった。もうすぐ子どもではなくなってしまうのに。／17歳　*子どもの権利条約では18歳未満が子どもと定められている

▶なぜ受験があるの？　みんなが好きな学校に通って、好きなことをのばしたら、社会がよりよくなると思うのに。／14歳

> 行動を起こすための5つのステップ

- ▶家庭環境によって塾に行けない人は、受験で不利になってしまう……。／15歳
- ▶友だちからいつもいじられてる。／13歳
- ▶なぜ戦争が起きるのか。なぜ、なくならないのか。／13歳
- ▶自分が50～60代になったとき、地球温暖化がどうなっているか不安だ。／16歳
- ▶近所の運動広場がなくされた。
- ▶家の周りには街灯がなくて、まっくらでこわい。
- ▶世界の貧しい人たちは、きれいな水さえ飲めない暮らしをしてるなんて……。
- ▶「それ、おとなになってからやれば」って言われるけど、今やってみたいんだよね。
- ▶宿題ばかりで自分の好きなことに没頭できないです。
- ▶すぐに相談できる場所が身近にないんだけど……。
- ▶フリースクールなどで学んでいることを認めてほしい。
- ▶授業で、私たち子どもが出した意見もとりあげてほしい。／12歳
- ▶学校は「同じが良い」という教育になっていて、個々が尊重されていないと思う。／15歳
- ▶なぜ性教育を学校でちゃんと教えてくれないのか。役に立つと思うのに。／高2
- ▶子どもの権利条約は子どものためにあるのに、自分は全然知らなくて苦しい思いをしている。／14歳

なるほど。学校、友だち、家庭、地域、社会、世界、みんないろんな「モヤモヤ」を感じているんだね。

ステップ2 あなたの「モヤモヤ」を発信しよう

それでは、次に進みましょう。
あなたが感じた「モヤモヤ」を他の人と共有してもいいと思ったら、発信してみましょう。
「発信するって、それになんの意味があるの？」と思った人、「こども基本法」の第3条の三号・四号（14ページ）を思いだしてください。すべての子どもは生まれながらにして大切な社会の一員で、あなたには声をあげる権利があるし、その声を聴かれる権利もあるんです。
「自分1人の声なんてたいしたことない」と思う人は、この4章を続けて読んでみてください。1人の声が変化を起こした例をいくつも紹介しています。あなたが日常で感じた「モヤモヤ」を発信することには、すごく意味があるってわかってもらえると思いますよ。

「モヤモヤ」を発信するには、どんな方法があるのかな。

こども家庭庁の「こども若者★いけんぷらす」で子どもの意見を求めていること、あなたの住んでいる地域にも窓口があること、そして発信する方法を紹介しています（1章、25ページ）。
また、私たちFTCJでも子どもの声を集めていますよ。集めた声は、定期的にウェブページやSNSで紹介したり、子どもの権利が守られるように政府や国際社会などへ提言する活動で紹介したり、届けたりしています。（くわしくはFTCJのウェブページへ。 ➡ https://ftcj.org/ ）

なるほど。国や自治体、団体の窓口を利用して発信するということだね。

行動を起こすための5つのステップ

もうひとつ、あなたのSNSのアカウントから発信する方法があります。ただし、これには注意が必要です。同じ意見の人たちと広くつながるいい面がある反面、批判やバッシングを受けることもあるからです。以下に注意を書いたので、よく読んでみてください。

自分の意見をインターネットで発信するときの注意！

❶ 発信する前に慎重になる。インターネットは全世界とつながっていて、一度ネット上に流すと、その後、削除したとしても、すでに世界中に流れてしまっていることを忘れずに。

❷ だれかを攻撃する書き方はやめる。攻撃する言葉は相手からの攻撃を招きやすく、トラブルのもとになる。

❸ 個人や組織（団体）を特定して非難しない。非難は攻撃とも受け取られるので、注意が必要。もし政治家などの公人や、政府に疑問や批判がある場合は、情報を確認して、その根拠を示して発信する（その情報が真実かどうかは、信頼できるおとなに確認しよう）。

❹ 自分だと特定されたくなかったり、不安があるなら、本名ではなくニックネームや別の名前を使う。本名を名乗らないことは卑怯ではない。あなたの安心と安全を最優先に考えよう。

❺ その他、心配なことがあったら、発信前に信頼できるおとなに相談する。

❻ もし問題が起こったら、専門の窓口（下記）に相談する。

★ 誹謗中傷ホットライン（一般社団法人セーファーインターネット協会）https://www.saferinternet.or.jp

★ 違法・有害情報相談センター（総務省委託事業）
https://ihaho.jp

★ 人権相談（法務省）
https://www.moj.go.jp/JINKEN/index_soudan.html

★ サイバー事案に関する相談窓口（警察庁）
www.npa.go.jp/cyber/soudan.html

発信するときには、安全を考えることが大事だね。国・地域、信頼できる団体の窓口を利用するのは安全な方法なんだね。

ステップ3 「モヤモヤ」を深堀りしてみよう

　さて、あなたの「モヤモヤ」を発信するだけでなく、「スッキリ」させたいと思ったら、深堀りしてみるのが大事です。
　あなたがスッキリさせたい「モヤモヤ」は、どんな問題ですか？　モヤモヤした気持ちになる原因はなんでしょう？　子どもの権利とかかわっているでしょうか？　どのような状態になれば「スッキリ」するでしょう？
　次のページの質問表を使って、深堀りしてみてください。

「モヤモヤ」を深堀りするための質問表　©FTCJ　コピーフリー

Q　あなたが取り組みたい「モヤモヤ」のテーマ（問題）はなんですか？

例）校則、環境問題、いじめ、家族、食品ロスなど

Q　なぜその問題が気になるのですか？　なぜその問題に取り組みたいのでしょう？

＊その問題があることでどんな気持ちになるか。その問題はどの子どもの権利とかかわっているのか。

Q　なぜその問題が起こるのでしょうか？

＊何が原因でその問題が起きているのか、思いつくかぎり書き出してみよう。

Q　その問題のなにが、どのように変わってほしいでしょうか？

＊「変ってほしいこと」を具体的に伝えられるかは、大きなポイントです。友人や家族に見てもらい、思った通りに伝わったか確認しましょう！

Q　その問題を解決する力がある人はだれですか？ その人が行っている取り組みは？

＊通常、問題を解決する力がある人や、その問題を引き起こしている原因と関係する人が、あなたの"働きかける相手"となります。たとえば学校のことなら、校長先生や地域の教育長など。直接その人に働きかけるのがむずかしかったら、その人に働きかけてもらえそうな人に伝える方法も考えられます。またすでに取り組みが行われていたら、それについて意見をしたり、応援したりできますね。

なるほど、「モヤモヤ」が問題としてはっきりしてきたね。では、どうやったら「スッキリ」できるのかな？

ステップ4 他の仲間のアクションを参考にしよう

はい、では次の段階にすすみましょう。
「モヤモヤ」を「スッキリ」させるためには、アクション（行動）を起こします。どんなふうに行動を起こしたらよいのか、実際に行動した子どもたちの例を見てみましょう。

みんなの「モヤモヤ」	スッキリへのアクション
大岩 凪さん／小学1年生 家の近くのスケートボードができる場所が、閉鎖されてしまうって聞いてすごく悲しかった。スケートボードが好きなのに、もう遊べなくなってしまうかもしれない。子どもが遊ぶ場所のことを決めるときは子どもの意見も聞いてほしい。	子どももおとなも練習できる、新しいスケートパークを地域につくってほしいと新潟市に提言するため署名サイト「Change.org」を通じてオンラインで署名を呼びかけました。たくさんの署名とともに、市長に提出したり、県知事にお願いしたりして、屋根があるパークがつくられることになりました！
坂口 くり果さん／小学6年生 親の暴力や虐待によって死んでしまう子どもがいることを、ニュースで知って悲しい。子どもへの虐待を減らすためには、親になる人たちが、子どもには子どもの権利があることを知ることが大切だと思う。	親になるともらう母子健康手帳に「子どもの権利」について載せてほしいと、区長に提言。2019年4月から区で配布する母子健康手帳には、「子どもの権利条約」のことが目立つページに掲載されることになりました。

4章 どうやって権利を使うの？

行動を起こすための**5**つのステップ

みんなの「モヤモヤ」	スッキリへのアクション
波田野 優さん／小学6年生 　世界では貧しさのため、奴隷のように働かされる子どもたちがたくさんいて、学校に行くことができていないことがわかり、なんとかしたいと思いました。「児童労働をなくしたい！」	児童労働の現状を調べて、そのことを学校で発表したり、オンラインイベントをしたり、メディアに取り上げてもらって、多くの人に伝えました。
今川 つかささん／中学2年生 　「子どもの権利条約」について知ったとき、自分が条約によって守られているという喜びを感じました。同時に、子どものための条約なのに、なぜ自分は今まで知らなかったのか疑問に思いました。	中学校の生徒手帳に「子どもの権利条約」を掲載してほしいと、市の教育長に提言。翌年から、今川さんの母校の生徒手帳に「子どもの権利条約」が掲載されることになりました。
バラ☆フレ／中学生のグループ 　「発達障がい」というと、よくわからないという声や、あまり良くないイメージがあると思います。それを当事者の中学生で変えていきたい、知らせていきたい、という気持ちでグループを結成しました。なお、発達障がいの表記は、グループで話し合って「がい」の文字にひらがなを使用しています。	発達障がいをポジティブに捉え、理解を深めてもらうため、発達障がいに関するオンラインイベントを開催したほか、子どもの権利について活動・発信しています。グループのSNSを開設し、情報を発信中です。 Instagram：@variefrie

みんなの「モヤモヤ」	スッキリへのアクション
箱田 晴大さん／高校2年生 　貧しくてきれいな水を飲めない子どもが世界にいること、日本でも経済的な理由や家庭環境によって、自分の夢や進学をあきらめなければいけない子どもがいることはおかしいと思う、なんとかしたい！	ケニアの井戸建設のためにクラウドファンディングをしたり、鈴木武蔵選手にご協力いただき、大阪の養護施設にいる子どもを無料でサッカー観戦に招待したりしました。
山田 豊さん／高校2年生 　校則の中には、子どもの権利を奪うような時代にマッチしていないものがある。子どもの権利を大切にした校則へと変えていきたい。そのために生徒の声が差別なく聞かれ、その声が反映されるような仕組みづくりが学校で必要だと思う。	京都府生徒会連盟で「京都府下における校則改定プロジェクト」に取り組んだり、通学する大谷高等学校で生徒会に所属し、校則改正のための生徒へのいっせいアンケートを取ったりしました。
植岡 優里奈さん・田中 菜乃さん／高校3年生 　子どもの権利は子どものことだから、もっとみんなが学校で学ぶ機会が増えないかな？　学校の先生は子どもの権利の内容についてちゃんと知っているの？	義務教育のなかで子どもの権利についてしっかりと学ぶ授業をしてほしいと、「学習指導要領に関する提言書」を作成しました。自治体や文科省に提出する予定です。

4章　どうやって権利を使うの？

「モヤモヤ」を「スッキリ」させるには、いろんなアクションがあるね。

| 行動を起こすための5つのステップ |

みんなの「モヤモヤ」 / スッキリへのアクション

FTCJ熊本グループ
子どもを貧困から助けるため、子どもにもできることをしたい！　そんな思いで当時14歳の津田美矩さんが2002年に設立。以後、理念に共感した熊本の中高生が活動に参加しています。

→ フィリピンの人身取引の問題を伝えるため、被害にあった子どもの声を七夕の短冊で紹介しつつ募金を集めたり、児童労働問題を考えるワークショップを実施したり、気候変動について取り組んだりしています。

海洋プラキーホルダープロジェクト／高校生・大学生のグループ
世界で増え続けている海洋プラスチック問題、このままだと、2050年には魚より海洋ごみの量が多くなると言われていて、とっても心配です。

→ 海洋プラスチック問題について知らせるためのイベントをしたり、プラスチックゴミを拾い、アクセサリーを作って販売したり、収益を環境団体に寄付したりしました。

桃山学院高等学校 School By School／クラブ
フリー・ザ・チルドレン創設者クレイグの来校をきっかけに、「子どもにも変化を起こす力がある」ことに賛同した高校生から、教育を受けられない世界の子どもたちを助けたい！という声があがり発足。

→ フィリピンやインドの子どもたちが教育を受けられるよう、募金を集め学校を建設。また、東日本大震災で被災した地域や大阪の無料塾でのボランティア活動などにも取り組んでいます。

みんなすごいね！　それぞれ声のあげ方や活動のしかたもちがうんだね。

みんなの「モヤモヤ」	スッキリへのアクション

大阪暁光高等学校　FTC部

「子どもは助けられるだけの存在ではなく、変化を起こす担い手である」というFTCの理念を大切にして部活がスタート。その理念に共感した高校生が興味のある社会問題に声をあげています。

募金活動をしたり、国内外の社会問題について調査し、その内容を発表しています。校内ではバレンタインに合わせてフェアトレードの材料でお菓子を作り、販売する活動等をしています。

National World Committee／加藤学園暁秀中等学校・高等学校内ボランティアクラブ

無意識にさまざまな差別や偏見が日常生活で起こるのはなぜだろう、差別や偏見をなくしたい！　という想いから学校のクラブで取り組むことにしました。

ジェンダー不平等をなくすため、学校内でディスカッションや性的マイノリティに関する情報を発信している松岡宗嗣さんの講演会を開いたり、教職員を含む学校全体に対してアンケートを取って、結果を公開したりして性の多様性について考えました。

子どもメガホンプロジェクト／「広げよう！子どもの権利条約キャンペーン」内プロジェクト

ふだんの生活の中で感じている「おかしいな？」と思うことや、子どもたちをとりまく問題を、国や社会に伝えてみたい！　という子ども世代がメンバーとなって、政策提言活動などに取り組んでいます。

「全国子どもアンケート：みんなの今を教えて～子どもの権利、知ってる？～」と題して、日本で暮らす子ども世代に子どもの権利に関する意識調査を行ったり、その結果をもとに国会議員や関係省庁に提言をしたりしました。

4章　どうやって権利を使うの？

行動を起こすための5つのステップ

> **認定NPO法人カタリバ「みんなのルールメイキング」**
>
> 児童生徒が中心となり、身近なルールである校則を見直すことを通じて、主体的にかかわれる学校をつくっていく取り組みです。「どうして男女で服装のルールがちがうの？」「くつしたの色は白でないといけない理由はなんだろう？」。そんな学校の校則・ルールに疑問を感じた児童生徒が中心となり活動をしています。校則を変えることが目的ではなく、話し合いをしながら、児童生徒や教員など学校にかかわるみんなが納得できる校則・ルールをつくるプロセスを大切にしています。こういった活動の中で自分のもやもやの原因がはっきりするだけでなく、過ごしやすい学校へと変えていくことができます。実際に、委員会の場などを活用しながら、全校児童生徒や教員にアンケートを取ったり、地域住民や保護者に街頭調査をし、その結果を参考にしながら新しい校則案をつくっています。取り組みの事例などはHPで紹介しています。
> ➡ https://rulemaking.jp/

活動を広げるコツは、アクションの賛同者を増やして自分の影響力を高めることです。たとえば校則を変えたいと学校に働きかけるなら、他の生徒たちの意見を集めたり、保護者の賛同を得たりすれば、大きな力になりますよ。同じことを考えている仲間を見つけて、グループで活動をするのは、影響力を高めるよい方法なのです。多くの人が参加していれば、それだけ重要度が高いという印象を与えられますしね。さらに影響力を高めるためには、報道機関（新聞やラジオ、テレビなど）に働きかけて、取材をしてもらうのもいいと思います。多くの人に知らせれば、同じ思いの仲間とつながることもできるし、応援もしてもらえますよ。

（FTCJの教材「SPEAK UP ACTION KIT」も参考にしてください）
➡ https://ftcj.org/wp/wp-content/uploads/2022/03/SPEAKUP_ActionKit.pdf

仲間がいるって心強いよね！ なにかできそうな気がしてきたなあ。

ステップ5 あなたの安心と安全・あなたと周囲のウェルビーイングを大切に

さて、もりあがってきたところで、最後にとっても大切なことを伝えておきますね。

なによりいちばん大切にしてほしいのは、あなたの心と体の健康です。気になる問題やこまっている人のために声をあげたり、アクションを起こせば、ときにはいやな思いをしたり、つかれたり、苦しくなることもあるでしょう。そういうときは「休んだり、助けを呼んだり、相談したり、その場から立ち去ってもOK」だと知っておいてください。

不調を感じたら遠慮せずに休みをとってください。あなた自身を大切にして、自分でケアをしてください。でもこれは、「悲しみや怒りを抱いても気づかないふりをする」ということではありません。怒りや悲しみや恐れは、私たちが生きるうえで大切で必要な感情です。重要なことは、抱いた感情とうまくつきあい、あなたの体と心の健康（メンタルヘルス）を大切にすることです。

イヤな思いをしたときは、落ちつくために何回か深呼吸をしましょう。人はストレスを感じると、心臓がドキドキして呼吸が乱れます。まず、口から息を吐ききって、鼻からゆっくりと吸います。たくさん吸ったら、口からゆっくり吐きます。コツは、息を吐くときにゆっくり長く吐ききることです。

なるほど。深呼吸はすぐにできて、しかもよくきく方法なんだね。

行動を起こすための5つのステップ

もし、怒りや悲しみや恐れの感情がおさまらなくて、自分1人ではどうしたらよいかわからなくなったら、まよわず助けを求めてくださいね。保健室の先生やスクールカウンセラーに相談して、専門の窓口を紹介してもらうこともできます。また、抗議や批判を受けて身の危険を感じたら、すぐに周囲の信頼できるおとなや、弁護士や警察に相談しましょう。助けを求めることは弱いことではありません。あなたは1人ではないことをいつもおぼえていてください。

さて、次は「ウェルビーイング」について。

「ウェルビーイング」って、「こども大綱」にも載っているんじゃない？

よく知っていますね！ こども大綱には、「全てのこども・若者が、身体的・精神的・社会的に幸せな状態（ウェルビーイング）で生活を送ることができる『こどもまんなか社会』の実現を目指している」と書かれています（こども大綱6、47ページ）。

ウェルビーイングは「幸福であること」と訳されることが多いけれど、私たちは「人権が守られ、心や体や周りとの関係、社会の中での自分の存在が、自分にとってちょうど心地よい状態、またはそこに向かう過程のこと」と定義しています。

では、どうすればウェルビーイングな状態になれるでしょうか？ それは、あなたの心と体の健康とともに、あなたの周りの環境や関係性にも注意を向けることが重要なんです。つまり、あなたがウェルビーイングであるためには、あなた1人だけでなく、友だちや家族や社会全体のウェルビーイングも大切だということです。

自分だけじゃなくて、周りの人や社会のウェルビーイングも大切なの？

そう。あなたの権利が大切なのと同じように、他の子どもの権利も大切です。たとえば、あなたが暴力を受けていなくても、友だちが暴力を受けていたら、あなたは心おだやかでいられないでしょう？　私たち人間は、周りの人たちとの関係や、周りの環境にとても影響を受けるんです。だから、ウェルビーイングの視点で、あなたと、あなたにかかわる人や環境、社会を見ることが、ひいては権利を守ることにつながっていくんです。

今、あなたの心や体はどんな状態ですか？　あなたの周りで、悲しい思いやつらい思いをしている人はいませんか？　あなたは自分の権利と同じに、他の人の権利も大切にできていますか？　あなたのすぐ近くでなくても、地球のどこかで起きている社会問題で気になることはありますか？

こんなふうに、ウェルビーイングを大切にする視点で自分や周りを観察して、なにか気になることがあったら、自分にどんなことができるのかを考えてもらえたらうれしいです。

(FTCJ・ウェルビーイング情報➡ https://ftcj.org/we-movement/wellbeing)

ウェルビーイングを大切にする視点だね。つまり、自分も周囲の人も権利が守られ、しあわせな状態であるかどうか……。

4章では、権利を使う方法を見てきましたが、自分だけでなく周りのことに注意を向ける人が増えると、世界はより良い方向に変わっていくと思っています。そんなひとつの例として、最後に、フィリピンの子どもたちのために活動した日本の子どもたちの記録をまとめたので、読んでください。

フィリピンの子どもたちの権利のために
声をあげた日本の子どもたち
（明治学院高校FTC同好会の活動）

1999年、当時15歳だったフィリピンの子ども活動家ピアさんは、FTCJによって日本に招かれ、高校でスピーチをした。

貧しい家庭で育ったピアさんは、４歳の時から路上で物ごいなどをしてきたが、８歳のとき、「いい仕事がある」とだまされて、性産業で働かされるようになってしまった。日本人を含む外国人観光客相手に性的サービスをさせられ、おとなたちから性的虐待を受けるようになったのだ。

12歳の時、やっとフィリピンのFTCJのパートナー団体によって救出・保護され、ピアさんはセラピーを受けて、少しずつ過去のつらい体験を乗りこえていった。

ピアさんは、同じ体験をして苦しんでいる子どもをはげまし、子どもへの性的虐待をなくすために、自分の体験を話す活動をはじめた。日本の高校生にも、「みなさんが私の話を熱心に聞いてくれて、とてもうれしいです。もし、みなさんのなかで、虐待を受けて、だれにも言えずに孤独を感じている人がいたら、私がいつもそばにいることをおぼえていてください」と語りかけた。

話を聞いた高校生たちは、大きなショックを受けた。

「ピアさんの話を聞くまで、日本人が、外国で子どもを買って性的虐待をしていることを知りませんでした。同じ日本人としてすごくはずかしいし、怒りを感じます」

「ピアさんが勇気を出して話してくれたことに感動しました。私ができることをしたいです」

高校生たちは、フィリピンの子どもたちを応援し、児童労働

をなくすために、フリー・ザ・チルドレン同好会を学校につくって、活動を始めた。まず、フィリピンの性産業で働かされる子どもたちの現状と、児童労働の問題について調べた。そして、自分たちにどんな協力ができるのかを、ピアさんを救出した団体にたずねることにした。すると、救出された子どもたちが学校に通うための大型乗り合いバス「ジプニー」が必要であるとわかったのだ。

高校生たちは、募金活動をスタートした。その車を購入するには100万円が必要だったからだ。何度も何度も街頭募金活動をしたり、フリーマーケットを開いたり、寄付のお願いの手紙をいろいろな人に送ったりした。

こうして2年後、ようやく目標のお金が集まって、フィリピンの子どもたちに「ジプニー」を送ることができた。

バスが届くと、「みなさんのおかげで、学校だけでなく、いろいろなところに行くことができるようになりました。ありがとう！」という、お礼の声がたくさん返ってきた。

高校生たちはよろこんで、「ジプニーを見に行きたい！」「ピアさんや救出された子どもたちに会いたい！」と、今度はフィリピンを訪問する計画を立てはじめた。

外国に行くのが初めての高校生たちは、日本から飛行機で４時間、バスで５時間かかって、ようやくピアさんや子どもたちに会い、みんなが乗っているシプニーも見ることができ、その喜びを口ぐちに語った。
　「募金活動はたいへんだったけど、子どもたちがジプニーをすごく気に入って使ってくれていて、とてもうれしかった。寄付に協力してくれた方々にもお礼を伝えたいです」
　「子どもたちの笑顔を見て、すごく勇気をもらいました」
　ピアさんからは、「私たちのことを気にかけてくれている高校生やおとなたちが日本にいると感じて、みんなとてもはげまされています。ご支援、ありがとうございました」と、あらためてお礼が伝えられた。
　子どもが子どものために声をあげ、活動したことで、より良い変化とつながりができた。この話は、子どもの声と行動に力があることも証明している。

第5章

「こども大綱」って？

「こども大綱」ってなに？

ペンペン：第5章では、こども基本法にもとづいてつくられた「こども大綱」について、子どもの権利についてくわしい平野裕二さんに解説してもらうよ。

平野：「こども大綱」は62ページもあるので、大事なポイントしか取り上げられませんが、興味のあること、気になることがあったら「こども大綱」そのものを読むことにチャレンジしてみてくださいね！　では、説明していきましょう。

　「大綱」というのは、法律や政策などに関する基本的な内容や方針を大まかに示した文書のことです。こども基本法9条で、政府は「こども施策に関する大綱」をつくらなければならないと決まっているので、「こども大綱」はそれにしたがってつくられました。政府がその内容を正式に決めたのは、2023年12月22日のことです。

　こども大綱は、日本がこれから「こどもまんなか社会」をめざしていくと宣言したうえで、こども施策に関する基本的な方針や重要な事がらを定めています。おもに、次の4つのことが書かれています。

① こども大綱ができた背景
② こども施策の基本的な方針
③ こども施策で大切なこと
④ こども施策を進めるために必要なこと

子ども向けの冊子や動画

　「こども大綱」や関連資料は、こども家庭庁のホームページから見ることができます。小学生向けの動画や、年代別に用意された子ども・若者向けの冊子なども載っているので、ぜひ見てみてくださいね。
https://www.cfa.go.jp/policies/kodomo-taikou/

冊子表紙

どうやってつくられたの？子どもの意見は聴かれた？

　こども大綱は、こども家庭庁のなかにある「こども家庭審議会」が中心となってまとめられました。この審議会には子どもに関する専門家25人が入っていて、その役目は、子どもにかかわる基本的な政策などに関する大切な事がらについて話し合い、首相（内閣総理大臣）やこども家庭庁長官に意見を述べることなどです。若い人たちの意見をできるだけ聴くために、20代の若者も6人、入っています（2023年4月現在）。

　こども大綱をつくるとちゅうで、こども家庭審議会がつくった「中間整理案」が公表されて、意見募集（パブリックコメント）が行われました。この意見募集のときには、資料の「やさしい版」などを載せた子ども・若者向けのホームページもつくられています。

　この意見募集には、2,341人・37団体から3,815件の意見が寄せられました。寄せられた意見がどのように扱われたかをまとめた資料も発表されています。3,800件以上の意見のうち、子ども・若者からの意見は1,905件で、半数以上を占めました。

　寄せられた意見をもとに、こども家庭審議会が報告書（答申）をまとめて、2023年12月に政府に提出しました。その答申をふまえて、政府が最終的な検討を行い、12月22日に政府の公式な政策文書として定められたのが、「こども大綱」です。

若者や子どもたちの意見も取り入れられ、「こども大綱」はつくられたんだね。

寄せられた意見をまとめた資料

　この資料では、寄せられた主な意見が、①こども家庭審議会の報告書（答申）に反映する意見、②答申にすでに含まれている意見、③反映されなかった意見とその理由・考え方の3つに分けて紹介されています。

　たとえば、「こども施策に関する基本的な方針」のうち「(2) こどもや若者、子育て当事者の視点を尊重し、その意見を聴き、対話しながら、ともに考えていく」と書かれていたところは、こども・若者団体から出された意見を受けて、「〜ともに進めていく」に変えられました。こども・若者と対話をしながらいっしょに考えるだけではなく、対話の結果を実行していくことにも、こども・若者に参加してもらおうという姿勢が打ちだされたと言えるでしょう。

　くわしくは、こども家庭審議会「こども・若者、子育て当事者等の意見を聴く取組の実施結果及びフィードバックについて」（2023年12月）という資料を見てください。⬇

https://www.cfa.go.jp/assets/contents/node/basic_page/field_ref_
resources/5b7aefcc-c384-4dc1-abc9-8b69b5a904eb/7df9ca35/20231221_
councils_shingikai_09.pdf

「こどもまんなか社会」 って、なに？

「こどもまんなか社会」については、第1章17ページ、第2章37ページでも説明されています。こども家庭庁がつくった冊子（小学校高学年〜中学生年代向け）には、次のように書かれています。

> 「こどもまんなか社会」
> 全てのこどもが健やかに成長し、幸せに生き続けられる社会のこと。その実現のため、こどもにとって一番の利益を重視して施策を進めるよ。

もう少し具体的にいうと、子どもが次のようなことをできる社会です（こども大綱7ページ）。

- 心もからだも健康に育っていける。
- それぞれの個性が大事にされ、ありのままの自分で、自分らしく幸せに生きていける。
- さまざまな遊び・学び・体験などを通じて、生きていく力が得られる。
- 夢や希望をかなえるためにのびのびとチャレンジでき、将来を切り開いていける。
- 決めつけられたり、なにが大事なことかを押し付けられたりしないで、自由にいろいろな選択をして、自分の可能性を広げられる。
- 自分なりの意見をもつためのさまざまな支援が受けられ、その意見を表明して、社会に参加していける。
- 不安や悩みを抱えたり、こまったりしても、まわりのおとなや社会にサポートされて、問題を解消したり、乗り越えたりできる。
- 暴力を受けたり、差別されたり、お金がなくてこまったりすることがなく、安全に安心して暮らせる。
- 働くこと、だれかと家族になること、親になることに、夢や希望をもつことができる。

このような社会をつくっていくため、こども・若者の声をなによりも大切にし、こども・若者にとって、なにがいちばんよいのかを常に考えながら、こども・若者のためになるようなことに優先的に取り組んでいこうというのが、「こどもまんなか社会」なのです。

「こどもまんなか社会」をどうやって実現するの？

こども大綱には、基本的な方針として、次の6つのことが書かれています（表現を少しわかりやすくしてあります）。

① こどもは「権利の主体」であると考えて、その権利を守り、こどもの「今」と「これから」の両方にとって、なにがいちばんよいかを考えていく
② こどもや子育てしている人の意見を聴き、対話しながら、ともに進めていく
③ 18歳や20歳になったら支援をやめてしまうのではなく、こどもがおとなになって自分らしい生活を送れるようになるまで、成長の段階にあわせて十分にサポートしていく
④ こどもが健やかに育っていける環境を用意して、すべてのこどもが幸せな状態で成長できるようにする
⑤ 若い人たちが安定した暮らしを送れて、子育てに希望をもてるようにする
⑥ こども施策について広い視野で考え、みんなで力を合わせて取り組んでいく

①がとくに大切なので、少しくわしく説明しておきましょう。子どもが「権利の主体」であるというのは、子どもには生まれながらに権利があり、その権利を使っていけるという

ことです（第2章も見てください）。こども大綱には、子どもは「意見表明・参画と自己選択・自己決定・自己実現の主体」であるとも書かれています（こども大綱9ページ）。

　つまり、子どもには、積極的に意見を言い、さまざまな活動に参加することができるし、自分らしい人生を送れるよう、自分自身のことについて自分で選んだり決めたりすることもできるということです。社会全体でそれを支えていかなければなりません。

　さらに、「こども・若者は、未来を担う存在であるとともに、今を生きている存在」でもあると書かれています（こども大綱9ページ）。将来のことを考えなければいけないのはもちろんですが、子どもの「今」も同じように大切にしなければならないのです。

　また、②では、子どもが自分なりの意見をもてるように支援すること、意見を表明しやすい環境づくりを進めることなどが述べられています。

　「こども・若者と対等な目線で対話しながら、こども・若者とともに社会課題を解決していくこと」の大切さについても書かれていますので、おとなだけでいろいろなことを決めて、おとなだけで実行していくというやり方は、これからはやめなければいけません。

　③〜⑥の方針にも大切なことが書いてあるので、こども家庭庁がつくった子ども向け冊子などでたしかめてみてくださいね。

「こどもまんなか社会」を実現するためには、こどもを支援するおとなも含めて、社会全体で考えることが大事なんだね。

基本的な方針を実行に移していくために、なにをするの？

こども大綱では、こども施策を進めていくうえで大切な事がら（重要事項）を3つに分けてあげています。

（1） すべてのライフステージ（人生の段階）に共通する重要事項
（2） ライフステージ別の重要事項
（3） 子育て当事者への支援に関する重要事項です。

ここでは、**（1）** と **（2）** について簡単に説明します。

（1）すべてのライフステージに共通する重要事項

すべてのライフステージに共通する重要事項として挙げられているのは、次の7つです（小学校高学年～中学生年代向けの冊子より）。

① こども・若者が権利の主体であることを社会全体で共有しよう
② 多様な遊びや体験活動ができる場づくり
③ 途切れることのない保健・医療の提供
④ こどもの貧困対策
⑤ 障がいのあるこどもや医療のケアが必要なこどもへの支援
⑥ 児童虐待防止、ヤングケアラーへの支援
⑦ こどもの自殺防止と犯罪などからの保護

①には、子どもが権利の主体であることを、子ども・若者にも、すべてのおとなにも、広く知らせていくと書かれています。学校や施設などでも、子どもたちが自分の権利について学べるように、子どもの権利や人権についての教育が進められていく予定です。

102

こども家庭庁が2024年3月に発表した調査によれば、子どもの権利条約について「よく知っている」「すこし知っている」と答えた人は、中学生18.2％、高校生28.7％、おとな20.1％だけだった。こども基本法についても、よく／少し知っている中高生・おとなは2割以下！ ②〜⑦の取り組みがうまくいくようにするためにも、子どもの権利についてもっと知ってもらうための取り組みを広げていくことが必要だね。

（2）ライフステージ別の重要事項

こども・若者のライフステージは次の3つにわけられていて、それぞれについて重要事項が説明されています。

- こどもがお母さんのおなかのなかにいるときから、生まれて、小学校に入るぐらいまでの年代（誕生前〜幼児期）
- 小学生から中学生ぐらいまでの年代（学童期・思春期）
- 高校生ぐらいから、おとなとして自立できるようになるまでの年代（青年期）

誕生前〜幼児期については、こども大綱と同じ2023年12月22日に、「幼児期までのこどもの育ちに係る基本的なビジョン（はじめの100か月の育ちビジョン）」も発表されています。「やさしい版」もあるので、小さな子どものことに興味がある人は見てみてくださいね。https://www.cfa.go.jp/policies/kodomo_sodachi

この本を読むみなさんは学童期・思春期の人が多いでしょうから、その年齢層の子どもたちのために、どんな取り組みが進められようとしているのか、小学校高学年〜中学生年代向けの冊子に書かれている内容を見てみましょう（元の文章はこども大綱26〜30ページにのっています）。

安心して通える学校の再生

　学校は勉強をするだけの場所ではなく、友だちや先生と関わりながら育っていく、大切な居場所でもあるんだ。そんな学校での生活を、さらに充実したものにするね。

安心安全の居場所づくり

　こども・若者が好きなことをしても、何もしなくても、大丈夫な居場所を作るね。
　すでにある居場所も、より良い場にしていくよ！

　2番目の「居場所づくり」に関しては、別のところで「こどもまんなかまちづくり」という考え方が打ち出されて、子どものあそび場の確保などが取り上げられていることにも、注目してください（こども大綱16ページ）。

　また、こども大綱と同じ2023年12月22日に、「こどもの居場所づくりに関する指針」も発表されました。こども大綱にも、この指針に基づいて、「こども・若者の声を聴きながら居場所づくりを推進する」と書かれています（こども大綱28ページ）。どんな居場所がよいか考えるために、こちらもぜひ見てみてください。
https://www.cfa.go.jp/policies/ibasho

　こども大綱では、続けて「こどもの医療の充実」「成人する前に必要な知識や情報の提供」という項目が取り上げられていますが、これについては飛ばして、いじめについて書いてあることを見てみましょう。子どもにとって大きな問題なので、けっこうくわしく書いてありますね。つづけて不登校についても書かれています。

いじめの防止に向けた対策

いじめは、こどもの身体と心に深刻な影響を与える、許されない行為だよ。

とても大きなこの問題には、社会全体でしっかり取り組んでいくよ。

おとなたちは、いじめにアンテナを張っているから、いじめを発見したら、スピーディーに学校や教育委員会で対応するね。いじめの相談先も用意するよ。

いじめの被害者が加害者でもあったり、加害者が家で虐待を受けていたり、家庭に経済的な問題があったりと、いじめの問題はとても複雑なんだ。

こうした問題には、スクールカウンセラーなどの支援者が、広い視野で解決に導いていくよ。

不登校のこどもの支援

不登校の要因は様々で、誰だってなる可能性があるんだ。

そこで、不登校になったこどもが安心して学ぶことができるよう、様々な学びの場所を増やしていくよ。

また、スクールカウンセラーをはじめとした専門家に相談できる環境を整えたり、フリースクールなどの機関と連携をしたりと、不登校のこどもを支援する仕組みをつくるよ。

最後に、校則と先生などによる体罰や不適切な指導について書かれていることを見てみましょう。「不適切な指導の防止」は、意見募集で寄せられた意見を受けて、付け加えられた内容です。

> **校則の見直し**
> 　校則を見直すときには、こどもや保護者をはじめとした、学校に関わる様々な人の意見を聞いて進めていけるようにするよ！
>
> **不適切な指導の防止**
> 　体罰や不適切な指導は、どんな理由があっても許されないことなんだ。
> 　これらのことが決して起こらなくなるように、取り組みを進めていくよ。

　「校則の見直し」が、文部科学省がつくる文書ではなく、政府全体で中身を決める文書で取り上げられたのはこれが初めてなんです。別のところ（こども大綱36ページ）でも、子どもに関係するルールをつくったり見直したりするときに、子ども自身が参加することは、子どもの意見表明権を保障するためにも意味のあることだと書かれていますよ。

　どうでしたか？　こども大綱ができて、みなさんのくらしが変わるんじゃないかと思えるようになったでしょうか。もっと良い取り組みが進められていくよう、こども家庭庁や、みなさんが住んでいる自治体などにも、どしどし意見を送ってくださいね。

「居場所づくり」、「いじめ」、「不登校」、「校則」。子どもたちの身近な問題が重要事項にとりあげられてるんだね。

こども・若者の意見を施策に反映するために、どんなことをする？

　こども大綱では、「第4　こども施策を推進するために必要な事項」の最初に「こども・若者の社会参画・意見反映」があげられ、4ページにわたってくわしく説明されています（こども大綱35〜38ページ）。

　前置きにあたる部分（こども大綱35〜36ページ）では、子どもの権利条約12条に書かれている「子どもの意見表明権」を保障していく必要があることについて触れたうえで、子どもの社会参画と意見反映の意義について説明されています。小学校高学年〜中学生年代向けの冊子を見てみましょう。

　こども基本法では、こどもの社会参画と意見の反映を両輪に施策を進めていくことが求められているよ。

　これらを大事にすることには、2つの意義があるんだ。

　1つ目は、こどもや若者の状況やニーズをより的確に理解して、より効果的な施策を進めていけること。

　2つ目は、「自分の意見がしっかり聴かれ、社会に影響を与えている」という実感が、こどもの自己肯定感や社会の一員としての意識を高めてくれること。その実現のために、おとなのみんなが対等な目線でこどもの意見を聴き、尊重の姿勢を大事に、こども・若者の社会への参画を後押ししていくよ！

　具体的な取り組みとしては、次の7つがあげられています。
- ⑴ 国の政策にこどもの意見を
- ⑵ 自治体での取組も推進
- ⑶ こども・若者が社会に参画し、意見を表明する機会をしっかり確保
- ⑷ 多様な声を施策に反映させる配慮・工夫
- ⑸ こどもの社会参画や意見表明を促す人材の育成
- ⑹ 若者主体の団体活動に追い風を
- ⑺ 調査や研究にも注力

5章　「こども大綱」って？

大切なポイントのひとつは、こども・若者の意見表明がきちんと「権利」として位置づけられていることです。前置きにあたる部分（こども大綱35ページ）で、こどもの権利条約12条の意見表明権について触れられていることは、107ページにも書きました。
　(3)「こども・若者が社会に参画し、意見を表明する機会をしっかり確保」の項目でも、社会参画や意見表明の機会の充実の項でも、
　「保護者や教職員、幼児教育や保育に携わる者など、こどもや若者の健やかな育ちに関わるおとなのほか、広く社会に対しても、こども・若者の意見を表明する権利について周知啓発する」
　「こどもや若者が、自らの意見や気持ちを表明してもよいことを理解できるよう、その年齢や発達の程度に応じて、自らの権利について知る機会の創出に向けて取り組む」
　と、しっかり書かれています（こども大綱37ページ）。

　第1章25ページにも書かれているように、こども家庭庁では、子どもたちの意見を聴くために取り組みを行っています。https://www.kodomo.cfa.go.jp/
　自治体では、こども基本法ができる前から、「こども会議」などのしくみをつくって、子どもたちの意見を聴くための取り組みをしているところもありました。こども基本法とこども大綱ができたことで、新しく「こども会議」などをつくったり、インターネットで市長や役所の人に意見を送ったりできるようにする自治体も、増えています。2024年3月には、こども家庭庁が、「こども・若者の意見の政策反映に向けたガイドライン」を発表しました。https://www.cfa.go.jp/policies/iken/ikenhanei-guideline
　自分の住んでいる自治体で、子どもの意見がちゃんと聴かれていないと思ったら、このガイドラインを使って、もっと意見を聴くように求めていくのもよいでしょう。

こども大綱には具体的な目標が書かれているの？

　大綱の別紙1として、「こどもまんなか社会」の実現に向けた12の数値目標が掲げられています（こども大綱54～55ページ）。その内容は次のとおりです（番号は編者がつけたものです）。

	項目	現状 ➡ 目標
1	「こどもまんなか社会の実現に向かっている」と思う人の割合	15.7% ➡ 70%
2	「生活に満足している」と思うこどもの割合	60.8% ➡ 70%
3	「今の自分が好きだ」と思うこども・若者の割合（自己肯定感の高さ）	60.0% ➡ 70%
4	社会的スキルを身につけているこどもの割合	74.2% ➡ 80%
5	「自分には自分らしさというものがある」と思うこども・若者の割合	84.1% ➡ 90%
6	「どこかに助けてくれる人がいる」と思うこども・若者の割合	97.1% ➡ 現状維持
7	「社会生活や日常生活を円滑に送ることができている」と思うこども・若者の割合	51.5% ➡ 70%
8	「こども政策に関して自身の意見が聴いてもらえている」と思うこども・若者の割合	20.3% ➡ 70%
9	「自分の将来について明るい希望がある」と思うこども・若者の割合	66.4% ➡ 80%
10	「自国の将来は明るい」と思うこども・若者の割合	31.0% ➡ 55%
11	「結婚、妊娠、こども・子育てに温かい社会の実現に向かっている」と思う人の割合	27.8% ➡ 70%
12	「こどもの世話や看病について頼れる人がいる」と思う子育て当事者の割合	83.1% ➡ 90%

たとえば、8「こども政策に関して自身の意見が聴いてもらえている」と思う子ども・若者の割合を約2割から7割に高めるのは、なかなかたいへんそうです。こども基本法11条などを踏まえ、国や自治体にはしっかりがんばってもらわないといけません。

一方、子どもの権利条約やこども基本法についてよく知っている人（子ども・若者・大人）の割合など、こういう目標も追加したほうがいいんじゃないかと思われる点もあります。子どもたちがいっそうしあわせに暮らしていけるようにするには、どんな目標を立てるのがよいか、みなさんも考えてみるとよいのではないでしょうか。

こども大綱は、これからどんなふうに実行されていくの？

こども大綱にもとづいて、具体的にどのような取り組みを進めていくかは、2024年5月31日に発表された「こどもまんなか実行計画」に書かれています。実行計画づくりを担当したのは、こども家庭庁のなかにある「こども政策推進会議」です（第1章31ページ）。

この「実行計画」は、取り組みの進み具合などを踏まえて、毎年6月ごろに新しいものがつくられることになっています。

また、こども基本法10条にもとづいて（第1章23ページ）、みなさんが住んでいる都道府県や市町村でも、こども大綱を参考にしながら、できるだけ独自の「こども計画」をつくることが求められています。かならずつくらなければならないわけではありませんが、子どものための取り組みは自治体にとっても大切な課題なので、多くの自治体がつくることになるでしょう。

これから、自治体の「こども計画」作成に向けた子どもの意見募集が行われることも増えると思いますので、みなさんが住んでいる自治体でも、情報をチェックしてみましょう。
　ちなみに、こども大綱は、作成からおおむね5年後（2028年12月）に見直しが行われる予定です。次の見直しでよりよい「こども大綱」ができるように、"もっとこんなことをやってほしい"などの意見があれば、こども家庭庁に送ってみましょう。

もっと取り組んでいかなきゃならない問題には、どんなものがあるのかな？

　たとえば、「広げよう！子どもの権利条約キャンペーン」が行った「子どもメガホンプロジェクト」に参加した子どもたちの多くは、次の4つのことを求めているね*。

1. 学校で、子どもの権利についてちゃんと教えてください
2. 学校で、子どもの権利が守られるようにしてください
3. 子どもがのびのびと安心して意見を言える環境づくりをしてください
4. 子どもが安心して相談できるしくみを広げてください

　そのほかにも、いろいろな課題があると思います。みなさんも考えてみてくださいね。

＊広げよう！子どもの権利条約キャンペーン実行委員会・子どもメガホンプロジェクト「子どもが権利を使うことができる社会をつくるために～子どもの声からの提言～」（2024年4月）https://crc-campaignjapan.org/report/20240422/

こども大綱のポイントと、今後に向けて変えていかなくてはならないことがあるのもわかったね。平野裕二さん、ありがとうございました。

おわりに（大人のみなさんへ）

　この本はぜひおとなの皆さんにも読んでいただきたいと思います。

　日本は「子どもの権利条約」を1994年に批准してはいたものの、子どもの権利を包括的に保障する国内法はこれまでありませんでした。「こども基本法」の制定まで時間はかかりましたが、私たち子どもの権利擁護の活動に従事してきた者にとっては、この法律の制定は長年待ち望んだことであり、非常に意味のある大きな一歩として捉え、歓迎しています。

　そして、法律の制定に伴い、子どもや若者をはじめ、おとなにもあまり浸透していない国連・子どもの権利条約に制定されている「子どもの権利」の理念、それを基礎とした「こども基本法」について、子どもたち自身に今こそしっかり伝えたい・伝えなければという想いで、子どもの権利にくわしい弁護士や専門家たちに声をかけ、本書を執筆することとなりました。

子どもを権利の主体として捉える

　「こども基本法」には、すべての子どもや若者について、その年齢や発達の程度に応じた意見表明の機会や社会的活動に参画する機会を確保することや、子どもや若者の意見を尊重し、その最善の利益を優先して考慮することが基本理念として謳われています。政府は、子どもの利益を第一に考え、子どもに関する取り組みを国のまんなかに置くことが重要であると認識し、2023年4月、「こども基本法」が施行されると同時に「こども家庭庁」を発足しました。

　日本でようやく子どもを権利の主体と捉え、子どもの意見に耳を傾け、子どもをまんなかに置いた政策に反映する仕組みづくりがスタートしたのです。子どもや若者の声を聴くことは、国や自治体の義務となりました。

　「こどもまんなか社会」を築くためには、子どもの周りにいるおとなの皆さんの理解と協力が不可欠です。子どもや若者が声をあげ、その声が聴かれる環境づくりは、私たちおとなの義務でもあるのです。これまで日常で生活するなかでは、条約や法律を意識したり、関係省庁の存在に気を配ったりすることはあまりなかったかもしれません。しかし、こども基本法ができたことで、子どもをめぐる環境に変化が起きはじめています。それがどういった変化なのか、どのように変化をもたらすもの

なのか、子どもの日常に照らし合わせて本書で詳しく説明していますので、おとなの皆さんの理解のためにも、ぜひお読みください。

子どもに権利を教えるのはマイナスではない

これまで、「子どもに権利を教えるとワガママになるのではないか」とか、「子どもに権利を教えるなら、義務も一緒に教えないといけない」という考えが社会に根強くありました。しかしながら、これらの心配や考えは必要ないと、私たちはこれまでの活動から実感しています。

もちろん、子どもの権利というのは好き勝手ふるまってよいという意味ではなく、すべての子どもに同じように権利があるのだから、互いの主張がぶつかったときや、他の人の権利を傷つける可能性があるときは、自分の参加する権利だけでなく相手の権利を尊重する必要があると、正しく伝えることが大切です。

私たちフリー・ザ・チルドレン・ジャパン（FTCJ）は、多くの子どもたちに子どもの権利を伝えるワークショップを行ってきましたが、子どもの権利を学びその内容を理解した子どもたちは、ワガママとは真逆の反応を示す場面をしばしば目にしました。自分に権利があるように、

他の子どもやおとなにも権利があることに想いを馳せ、権利を守られてない子どもやおとなの存在に気づき、子どもたちはその状態に疑問をもち、行動を起こそうとする傾向にあると実感しています。これは国際子ども権利センター（C-Rights）の活動でも見られたことです。

子どもたちからおとなへのメッセージ
（子どもの権利条例子ども委員会のまとめ）

「まず、おとなが幸せにいてください。おとなが幸せじゃないのに子どもだけ幸せにはなれません。

おとなが幸せでないと、子どもに虐待とか体罰とかが起きます。

条例に"子どもは愛情と理解をもって育まれる"とありますが、まず、家庭や学校、地域の中で、おとなが幸せでいてほしいのです。
子どもはそういう中で、安心して生きることができます。」

（2001年3月24日 川崎市条例報告市民集会）

子どもの権利を保障するのは誰か

また、子どもの権利の保障のために義務を負うのは子ども自身ではありません。子どもの権利は誰もが生まれながらにもっているものであり、義務を果たさないと権利が得られないという関係ではないのです。子どもの権利における権利と義務の関係

113

性からいえば、保障される権利があるのはすべての子どもで、その権利を保障する義務があるのは、親などの子どもの周囲のおとなであり、親が責任を果たせるよう努力する義務は国にあります。「子どもの権利条約」第５条及び第18条に、「親または場合によって法定保護者は、子どもの養育および発達に対する第一義的責任を有する」、締約国は、「親および法定保護者が子どもの養育責任を果たすにあたって適当な援助を与える」と記されています。

「こども基本法」においても、基本理念第三条５に、「父母その他の保護者が第一義的責任を有するとの認識の下、これらの者に対してこどもの養育に関し十分な支援を行う」とされ、第四条に国の責務として、「国は、前条の基本理念にのっとり、こども施策を総合的に策定し、及び実施する責務を有する」と記されています。

ただ確認したいことは、父母などの保護者だけが子どもの養育や発達に対して責任を負うのではなく、社会全体でその子どもにとっての最善の利益に向けて支援を行うことが定められている点です。私たち一人ひとりが、子育てを各家庭の自己責任として捉えるのではなく、子どもは社会全体の宝であると認識すること

が必要です。

子どもの声を聴く意義、おとなの姿勢

子どもや若者が、自身に関係することに対して意見を表明し、その意見が受け止められ、尊重され、政策に反映されることは、子どもや若者にとっても社会にとっても大きな意義があります。なぜなら、子どもや若者にとって、自身の意見が聴かれ、自分たちが声をあげることで社会に何らかの影響を与え変化をもたらせた経験は、自己肯定感や自己効力感を高め、社会の一員としての主体性の向上につながるからです。また、社会にとっては、子どもや若者の声を聴くことで、彼らの状況やニーズが理解でき、より良い施策を作ることにつながります。

「こども基本法」に則り、国や地域の様々な場面で、それぞれの施策の目的などを踏まえ、子どもや若者の意見を聴き反映させる取り組みを今後進めていくために、子どもや若者に接するときの姿勢や、私たちFTCJが考える声かけの仕方について少しご紹介します。

FTCJでは、子ども、おとな共に理想の姿は「自分の望む道を、自分で切り拓いていけるようになる」ことだと考えています。そのため、子

どもに接する際のおとなの基本的な姿勢は、「子どもから意見を引き出し、見守り、サポートする」という水平な関係を作り、接することが大切と考えています。それは、子ども自身ができることには必要以上に介入することは控え、「何かをやってあげる」ではなく、「対等な立場として子どもにアイディアを提案し、それをどうするかは子どもが決める」という姿勢です。ただし、法律に触れる場合や子どもの安心・安全・生命の危険がある場合は、おとなによる介入は必要だと考えています。

　子どもや若者の声を聴く方法は複数あります。また、ここで言う「声」とは言葉や文字だけでなく、動画や絵、ダンスや音楽などアートを通じた表現方法もあるでしょう。大切なことは、その子どもや若者が安全な環境で安心して自分らしい表現方法で声をあげられるようにサポートすることです。

子どもの声を引き出すために

　子どもや若者が、安全な環境で安心して自分らしく声をあげたり、表現したりするためには、「子どものセーフガーディング」の設定と、「ファシリテーター」の存在が重要になります。

　「セーフガーディング」とは、子どもや弱い立場にある人々の人権と安心・安全を守る環境づくりのことです。特に、子どもの権利を守るためのルールや仕組みづくりをし、子どもの権利に反する行為や危険を予防する取り組みを組織全体で行うことです。

　「ファシリテーター」は、セーフガーディングや、先述した「子どもに接する際の姿勢」を理解して、子どもや若者の意見や考えを引き出したり、受け止めて助言する人です。

　FTCJでは、子どもの声を聴くファシリテーター養成講座を定期的に開催したり、要望に応じて実施したりしていますので、くわしくは団体ウェブページをご覧ください。
https://ftcj.org/we-movement/hearingofopinions

　地域や国に子ども・若者たちの声を届ける方法は、様々あります。皆さんの周りの子どもや若者が声をあげたいときには、以下の方法を伝えてください。次頁に、子どもの権利の情報を知ることができるサイトを載せましたのでご参考になさってください。

　おとなのみなさんには、子どもたちが安心・安全な環境で声をあげることを応援していただければと願っています。

（中島早苗・出野恵子）

1 こども若者★いけんぷらす

こども家庭庁が行う「こども若者★いけんぷらす」は、こどもや若者が様々な方法で自分の意見を表明し、社会に参加することができる取り組みです。この取り組みに参加して、こども・若者にかかわる様々なテーマについて広く意見を伝えてくれる「ぷらすメンバー」を大募集しています！小学1年生から20代の方であれば、だれでも、いつでも登録できます。
➡ https://www.cfa.go.jp/policies/iken-plus

2 自分の住んでいる自治体に声を届ける

すでに子ども議会などを設置して、地域に住んでいる子どもの声を集めるツールや仕組みづくりをしている自治体もあれば、設置途上の自治体もあります。自分が住んでいる自治体に、どうやって声を届けたらよいかわからない場合は、下記に連絡するとよいでしょう。

①子ども支援課／子ども未来課

自治体のウェブサイトで「子ども支援課／子ども未来課」を探して、連絡先に問い合わせる。

②児童家庭支援センター

子ども、家庭、地域住民等からの相談に応じ、必要な助言、指導を行う施設です。また、児童相談所、児童福祉施設など、関係する機関の連絡調整も行います。児童相談所を補完するものとして、児童福祉施設等に設置されています。地域の児童家庭支援センターに連絡し、届けたい声をどのように自治体に伝えられるか聞くことができます。

③首長への手紙

声を届けたい地域のウェブサイトで、「区長・市長・村長・町長・知事への手紙」などと検索し、地域の首長への声の届け方に沿って声をあげます。

④FTCJの教材を使う： SPEAK UP アクションキット

FTCJでは、子どもや若者が声をあげることを応援するために、教材を作って公開しています。気になる問題に変化を起こすために、学校やメディア、議員や首長に対して働きかける方法が学べる「SPEAK UP アクションキット」を参考にしてください。
➡ https://ftcj.org/we-movement/weactioncampaigns/speakup

★子どもの権利やウェルビーイングに関するサイト

- フリー・ザ・チルドレン・ジャパン
  子どもの権利に関するサイト：
➡ https://ftcj.org/we-movement/childrights
- ウェルビーイングに関するサイト：
➡ https://ftcj.org/we-movement/wellbeing
- 国際子ども権利センター（シーライツ）：
➡ http://www.c-rights.org/
- 広げよう！
  子どもの権利条約キャンペーン：
➡ https://crc-campaignjapan.org/
- ARC 平野裕二の子どもの権利・
  国際情報サイト：
➡ https://w.atwiki.jp/childrights/

こども基本法（令和4年法律第77号）

こども家庭庁HPより
https://www.cfa.go.jp/policies/kodomo-kihon/

第一章　総則

（目的）

第一条　この法律は、日本国憲法及び児童の権利に関する条約の精神にのっとり、次代の社会を担う全てのこどもが、生涯にわたる人格形成の基礎を築き、自立した個人としてひとしく健やかに成長することができ、心身の状況、置かれている環境等にかかわらず、その権利の擁護が図られ、将来にわたって幸福な生活を送ることができる社会の実現を目指して、社会全体としてこども施策に取り組むことができるよう、こども施策に関し、基本理念を定め、国の責務等を明らかにし、及びこども施策の基本となる事項を定めるとともに、こども政策推進会議を設置すること等により、こども施策を総合的に推進することを目的とする。

（定義）

第二条　この法律において「こども」とは、心身の発達の過程にある者をいう。

2　この法律において「こども施策」とは、次に掲げる施策その他のこどもに関する施策及びこれと一体的に講ずべき施策をいう。

一　新生児期、乳幼児期、学童期及び思春期の各段階を経て、おとなになるまでの心身の発達の過程を通じて切れ目なく行われるこどもの健やかな成長に対する支援

二　子育てに伴う喜びを実感できる社会の実現に資するため、就労、結婚、妊娠、出産、育児等の各段階に応じて行われる支援

三　家庭における養育環境その他のこどもの養育環境の整備

（基本理念）

第三条　こども施策は、次に掲げる事項を基本理念として行われなければならない。

一　全てのこどもについて、個人として尊重され、その基本的人権が保障されるとともに、差別的取扱いを受けることがないようにすること。

二　全てのこどもについて、適切に養育されること、その生活を保障されること、愛され保護されること、その健やかな成長及び発達並びにその自立が図られることその他の福祉に係る権利が等しく保障されるとともに、教育基本法（平成十八年法律第百二十号）の精神にのっとり教育を受ける機会が等しく与えられること。

三　全てのこどもについて、その年齢及び発達の程度に応じて、自己に直接関係する全ての事項に関して意見を表明する機会及び多様な社会的活動に参画する機会が確保されること。

四　全てのこどもについて、その年齢及び発達の程度に応じて、その意見が尊重され、その最善の利益が優先して考慮されること。

五　こどもの養育については、家庭を基本として行われ、父母その他の保護者が第一義的責任を有するとの認識の下、これらの者に対してこどもの養育に関し十分な支援を行うとともに、家庭での養育が困難なこどもにはできる限り家庭と同様の養育環境を確保することにより、こどもが心身ともに健やかに育成されるようにすること。

六　家庭や子育てに夢を持ち、子育てに伴う喜びを実感できる社会環境を整備すること。

（国の責務）
第四条　国は、前条の基本理念（以下単に「基本理念」という。）にのっとり、こども施策を総合的に策定し、及び実施する責務を有する。

（地方公共団体の責務）
第五条　地方公共団体は、基本理念にのっとり、こども施策に関し、国及び他の地方公共団体との連携を図りつつ、その区域内におけるこどもの状況に応じた施策を策定し、及び実施する責務を有する。

（事業主の努力）
第六条　事業主は、基本理念にのっとり、その雇用する労働者の職業生活及び家庭生活の充実が図られるよう、必要な雇用環境の整備に努めるものとする。

（国民の努力）
第七条　国民は、基本理念にのっとり、こども施策について関心と理解を深めるとともに、国又は地方公共団体が実施するこども施策に協力するよう努めるものとする。

（年次報告）
第八条　政府は、毎年、国会に、我が国におけるこどもをめぐる状況及び政府が講じたこども施策の実施の状況に関する報告を提出するとともに、これを公表しなければならない。

2　前項の報告は、次に掲げる事項を含むものでなければならない。

一　少子化社会対策基本法（平成十五年法律第百三十三号）第九条第一項に規定する少子化の状況及び少子化に対処するために講じた施策の概況

二　子ども・若者育成支援推進法（平成二十一年法律第七十一号）第六条第一項に規定する我が国における子ども・若者の状況及び政府が講じた子ども・若者育成支援施策の実施の状況

三　子どもの貧困対策の推進に関する法律（平成二十五年法律第六十四号）第七条第一項に規定する子どもの貧困の状況及び子どもの貧困対策の実施の状況

第二章 基本的施策

（こども施策に関する大綱）
第九条　政府は、こども施策を総合的に推進するため、こども施策に関する大綱（以下「こども大綱」という。）を定めなければならない。

2　こども大綱は、次に掲げる事項について定めるものとする。

一　こども施策に関する基本的な方針

二　こども施策に関する重要事項

三　前二号に掲げるもののほか、こども

施策を推進するために必要な事項

3　こども大綱は、次に掲げる事項を含むものでなければならない。

一　少子化社会対策基本法第七条第一項に規定する総合的かつ長期的な少子化に対処するための施策

二　子ども・若者育成支援推進法第八条第二項各号に掲げる事項

三　子どもの貧困対策の推進に関する法律第八条第二項各号に掲げる事項

4　こども大綱に定めるこども施策については、原則として、当該こども施策の具体的な目標及びその達成の期間を定めるものとする。

5　内閣総理大臣は、こども大綱の案につき閣議の決定を求めなければならない。

6　内閣総理大臣は、前項の規定による閣議の決定があったときは、遅滞なく、こども大綱を公表しなければならない。

7　前二項の規定は、こども大綱の変更について準用する。

（都道府県こども計画等）

第十条　都道府県は、こども大綱を勘案して、当該都道府県におけるこども施策についての計画（以下この条において「都道府県こども計画」という。）を定めるよう努めるものとする。

2　市町村は、こども大綱（都道府県こども計画が定められているときは、こども大綱及び都道府県こども計画）を勘案して、当該市町村におけるこども施策についての計画（以下この条において「市町村こども計画」という。）を定めるよう努めるものとする。

3　都道府県又は市町村は、都道府県こども計画又は市町村こども計画を定め、

又は変更したときは、遅滞なく、これを公表しなければならない。

4　都道府県こども計画は、子ども・若者育成支援推進法第九条第一項に規定する都道府県子ども・若者計画、子どもの貧困対策の推進に関する法律第九条第一項に規定する都道府県計画その他法令の規定により都道府県が作成する計画であってこども施策に関する事項を定めるものと一体のものとして作成することができる。

5　市町村こども計画は、子ども・若者育成支援推進法第九条第二項に規定する市町村子ども・若者計画、子どもの貧困対策の推進に関する法律第九条第二項に規定する市町村計画その他法令の規定により市町村が作成する計画であってこども施策に関する事項を定めるものと一体のものとして作成することができる。

（こども施策に対するこども等の意見の反映）

第十一条　国及び地方公共団体は、こども施策を策定し、実施し、及び評価するに当たっては、当該こども施策の対象となるこども又はこどもを養育する者その他の関係者の意見を反映させるために必要な措置を講ずるものとする。

（こども施策に係る支援の総合的かつ一体的な提供のための体制の整備等）

第十二条　国は、こども施策に係る支援が、支援を必要とする事由、支援を行う関係機関、支援の対象となる者の年齢又は居住する地域等にかかわらず、切れ目なく行われるようにするため、当該支援を総合的かつ一体的に行う体制の整備そ

の他の必要な措置を講ずるものとする。

（関係者相互の有機的な連携の確保等）
第十三条　国は、こども施策が適正かつ円滑に行われるよう、医療、保健、福祉、教育、療育等に関する業務を行う関係機関相互の有機的な連携の確保に努めなければならない。
2　都道府県及び市町村は、こども施策が適正かつ円滑に行われるよう、前項に規定する業務を行う関係機関及び地域においてこどもに関する支援を行う民間団体相互の有機的な連携の確保に努めなければならない。
3　都道府県又は市町村は、前項の有機的な連携の確保に資するため、こども施策に係る事務の実施に係る協議及び連絡調整を行うための協議会を組織することができる。
4　前項の協議会は、第二項の関係機関及び民間団体その他の都道府県又は市町村が必要と認める者をもって構成する。

第十四条　国は、前条第一項の有機的な連携の確保に資するため、個人情報の適正な取扱いを確保しつつ、同項の関係機関が行うこどもに関する支援に資する情報の共有を促進するための情報通信技術の活用その他の必要な措置を講ずるものとする。
2　都道府県及び市町村は、前条第二項の有機的な連携の確保に資するため、個人情報の適正な取扱いを確保しつつ、同項の関係機関及び民間団体が行うこどもに関する支援に資する情報の共有を促進するための情報通信技術の活用その他の必要な措置を講ずるよう努めるものとす

る。

（この法律及び児童の権利に関する条約の趣旨及び内容についての周知）
第十五条　国は、この法律及び児童の権利に関する条約の趣旨及び内容について、広報活動等を通じて国民に周知を図り、その理解を得るよう努めるものとする。

（こども施策の充実及び財政上の措置等）
第十六条　政府は、こども大綱の定めるところにより、こども施策の幅広い展開その他のこども施策の一層の充実を図るとともに、その実施に必要な財政上の措置その他の措置を講ずるよう努めなければならない。

第三章 こども政策推進会議

（設置及び所掌事務等）
第十七条　こども家庭庁に、特別の機関として、こども政策推進会議（以下「会議」という。）を置く。
2　会議は、次に掲げる事務をつかさどる。
一　こども大綱の案を作成すること。
二　前号に掲げるもののほか、こども施策に関する重要事項について審議し、及びこども施策の実施を推進すること。
三　こども施策について必要な関係行政機関相互の調整をすること。
四　前三号に掲げるもののほか、他の法令の規定により会議に属させられた事務
3　会議は、前項の規定によりこども大綱の案を作成するに当たり、こども及びこどもを養育する者、学識経験者、地域においてこどもに関する支援を行う民間

団体その他の関係者の意見を反映させる
ために必要な措置を講ずるものとする。

（組織等）
第十八条　会議は、会長及び委員をもっ
て組織する。
2　会長は、内閣総理大臣をもって充て
る。
3　委員は、次に掲げる者をもって充て
る。
一　内閣府設置法（平成十一年法律第
八十九号）第九条第一項に規定する特命
担当大臣であって、同項の規定により命
を受けて同法第十一条の三に規定する事
務を掌理するもの
二　会長及び前号に掲げる者以外の国務
大臣のうちから、内閣総理大臣が指定す
る者

（資料提出の要求等）
第十九条　会議は、その所掌事務を遂行
するために必要があると認めるときは、
関係行政機関の長に対し、資料の提出、
意見の開陳、説明その他必要な協力を求
めることができる。
2　会議は、その所掌事務を遂行するた
めに特に必要があると認めるときは、前
項に規定する者以外の者に対しても、必
要な協力を依頼することができる。

（政令への委任）
第二十条　前三条に定めるもののほか、
会議の組織及び運営に関し必要な事項は、
政令で定める。

著者プロフィール（第１章から執筆順・＊印は編集委員）

平尾 潔（ひらお きよし） 弁護士。子どもの権利を中心に活動。2007〜2009年、東京都子どもの権利擁護事業専門相談員。2018年から東京都世田谷区の子どもオンブズ「せたがやホッと子どもサポート」擁護委員。2021〜2024年、練馬区スクールロイヤー。日本弁護士連合会子どもの権利委員会幹事、第二東京弁護士会子どもの権利に関する委員会委員。著書に『いじめでだれかが死ぬ前に　弁護士のいじめ予防授業』（2009年、岩崎書店）など。

甲斐田 万智子（かいだ まちこ） 認定NPO法人国際子ども権利センター（C-Rights）代表理事。「広げよう！子どもの権利条約キャンペーン」共同代表。子どもの権利条約総合研究所運営委員。文京学院大学・立教大学講師。子どもに対する暴力撤廃日本フォーラムメンバー。子どもの権利について各地で講演・研修。監修した本・教材に『きみがきみらしく生きるための子どもの権利』（KADOKAWA）、『世界の子どもの権利かるた』（合同出版）、編著書に『世界中の子どもの権利をまもる30の方法』（合同出版）など。

出野 恵子（いでの けいこ）＊ 認定NPO法人フリー・ザ・チルドレン・ジャパン事務局長。学生時代に団体と出会い、インド支援事業チームにインターンとして参画。民間企業を経て、2008年より現職。子どもの権利と子どもの社会貢献活動を軸に、延べ２万人以上に出前授業を実施。子どもの権利や国際問題に関する教材開発や、こども家庭庁委託事業として「こども意見ファシリテーター」養成講座のプログラムを作成。同講座のファシリテーターも務める。

中島 早苗（なかじま さなえ）＊ 認定NPO法人フリー・ザ・チルドレン・ジャパン代表。1997年米国NGOでのインターン中にFree The Childrenを知る。理念に共感し、日本に紹介しようと帰国後の1999年にフリー・ザ・チルドレン・ジャパンを設立。以後、活動に従事。著書に『フィリピンの少女ピア　性虐待をのりこえた軌跡』、シリーズ「チャレンジ！キッズスピーチ」全三巻（大月書店）など。2007年国際ソロプチミストより「青少年指導者育成賞」受賞。2022年7月から新潟市子どもの権利推進委員会委員に就任。

平野 裕二（ひらの ゆうじ） 1967年、福岡県生まれ。子どもの権利条約総合研究所、子どもの権利条約ネットワーク（NCRC）、子どもの人権連などの団体で、子どもの権利条約が国連で採択された頃から条約の普及促進に取り組んできた。国連・子どもの権利委員会の報告審査を長く傍聴し、子どもの権利をめぐる国際的な動向に詳しい。共著書に『生徒人権手帳』（三一書房）、『子どもコミッショナーはなぜ必要か』（明石書店）、訳書に『いじめに立ち向かう』（アドバンテージサーバー）など。

イラスト／
まえだたつひこ（前田達彦） イラストレーター、ガムラン奏者。イラストを担当した本に『いじめ防止法　こどもガイドブック』（佐藤香代他著）『達人になろう！　お金をかしこく使うワザ』（エリック・ブラウン他著）　共に子どもの未来社、『ワニブタ　子どもの権利絵本① がまんしているでも　やめない』『同② あなたがうまれたとき』『同③ あなたはそだつ』（おおやとしろう文Art31）、「国連こどもの権利条約第31条カレンダー」イラスト・編集を担当。中田音楽にパーカッションで参加。

編／フリー・ザ・チルドレン・ジャパン（FTCJ）

1995年、貧困や搾取から子どもを解放することを目的に、カナダの12歳のクレイグ・キールバーガーによって設立された「Free The Children」の理念に共感し、1999年に日本で活動を開始。インド、フィリピン、ケニア、コンゴなど開発途上国での国際協力活動と並行し、日本の子どもや若者が国内外の問題に取り組み、変化を起こす「チェンジメーカー」になれるような子ども若者育成事業を行う。教育機関などへの出前授業、教材開発、国内外でのワークキャンプ活動、アドボカシー活動などを主な事業としており、活動内容は英語教科書などの学校教材に掲載されている。こども家庭庁委託事業『ファシリテーター養成プログラム作成のための調査研究及び教材開発』（2023年度）に従事。

装丁・本文デザイン／稲垣結子（ヒロ工房）
編集／堀切リエ

こども基本法 こどもガイドブック

2024年8月26日　第1刷印刷
2024年8月26日　第1刷発行

編者　　　FTCJ

発行者　　奥川 隆

発行所　　**子どもの未来社**
　　　　　〒 101-0052
　　　　　東京都千代田区神田小川町3-28-7-602
　　　　　TEL 03-3830-0027　FAX 03-3830-0028
　　　　　E-mail：co-mirai@f8.dion.ne.jp　http://comirai.shop12.makeshop.jp/

振　替　　00150-1-553485

印所・製本　シナノ印刷株式会社

©2024　Hirao Kiyoshi, Kaida Machiko, Ideno Keiko, Nakajima Sanae, Hirano Yuji
Printed in Japan
ISBN987-4-86412-428-7
C8037　NDC370　128頁　21cm×14.8cm

＊乱丁・落丁の際はお取り替えいたします。
＊本書の全部または一部の無断での複写（コピー）・複製・転訳載および磁気または光記録媒体への入力等を禁じます。
　複写を希望される場合は、小社著作権管理部にご連絡ください。

子どもの未来社の本

いじめを止める法律がある！
いじめ防止法こどもガイドブック

「いじめ防止法」をわかりやすく解説し、いじめに関わる子どもたちへ弁護士が的確なアドバイス。子どもはもちろん大人も必見。●小学校中学年〜

著／佐藤香代、三坂彰彦、加藤昌子
絵／まえだたつひこ
本体：1500円＋税／144頁／A5変判・並製　ISBN978-4-86412-240-5

世界中で読まれている子どもの権利ガイド
あなたの権利を知って使おう
子どもの権利ガイド

世界最大の国際人権NGOアムネスティ・インターナショナルと俳優のアンジェリーナ・ジョリー、弁護士がつくった本。子どもの権利と、その使い方がよくわかる！　世界で活動する子どもや若者たちがたくさん登場！●小学校高学年〜

著／アムネスティ・インターナショナル、
　　アンジェリーナ・ジョリー、
　　ジェラルディーン・ヴァン＝ビューレン
訳／上田勢子
本体：1800円＋税／280頁／A5変判・並製　ISBN978-4-86412-429-4

きみは自分のからだの主人公だよ！
からだのきもち
境界・同意・尊重ってなに？

友だちが「手をつなごう！」、おばあちゃんは「ハグして！」。きみならどうする？　身近な例を通して、大切な人間関係のスキル「境界」「同意」「尊重」をわかりやすく伝える絵本。●幼児〜

作／ジェイニーン・サンダース
絵／サラ・ジェニングス　訳／上田勢子
本体：1600円＋税／40頁／B5変判・上製　ISBN978-4-86412-223-8

映画にもなった法律家RBGの伝記絵本

わたしは反対！
社会をかえたアメリカ最高裁判事
ルース・ベーター・ギンズバーグ

アメリカ最高裁判事ルース・ベイダー・ギンズバーグ（RBG）は、差別されている人たちを一貫して支え、納得できないことに反対の声をあげつづけ、社会を変えていきました。●幼児〜

文／デビー・リヴィ　絵／エリザベス・バドリー
訳／さくまゆみこ
本体：1800円＋税／40頁／A4変判・上製　ISBN978-4-86412-226-9

NASAで活躍した女性の伝記絵本

わたしにまかせて！
アポロ13号をすくった数学者
キャサリン・ジョンソン

黒人や女性差別が色濃く残る時代にNASAで数学者として働き、宇宙飛行士が乗った故障したアポロ13号を宇宙から奇跡の生還に導いたキャサリン・ジョンソンの伝記絵本です。●幼児〜

文／ヘレーン・ベッカー　絵／ダウ・プミラク
訳／さくまゆみこ
本体：1800円＋税／34頁／AB変判・上製　ISBN978-4-86412-244-3

だれもが安心して生きられる社会をめざして

全身マヒのALS議員
車いすで国会へ
命あるかぎり道はひらかれる

全身マヒの国会議員舩後靖彦さんの人生と議員活動を追い、バリアーフリー、インクルーシブ教育を問う写真絵本。●小学生〜

文／舩後靖彦、加藤悦子、堀切リエ
本体：1500円＋税／32頁／B5判・上製　ISBN978-4-86412-185-9

子どもの居場所を考えるきっかけに
シッゲのおうちはどこ？

ある日、知らない大人が家にやってきて、シッゲと母親を別々の場所に連れていきます。シッゲは里親に引き取られ、成長していきます。ネグレクトや里親制度などを背景に、子どもの心の動きを丁寧に伝える絵本。
●幼児〜

協力／セーブ・ザ・チルドレン・ジャパン

作／スティーナ・ヴィルセン、
　　セーブ・ザ・チルドレン・スウェーデン
訳／きただい えりこ
本体：1700円＋税／60頁／A5変判・上製　ISBN978-4-86412-427-0

戦争が引き起こす問題を伝える絵本
シッカとマルガレータ
戦争の国からきたきょうだい

戦争を逃れ、家族と離れて平和な国へひとり旅立つシッカ。むかえる家族にはマルガレータという同じ年頃の女の子がいて、ふたりは反発しあいながらこころを通わせていく……。●小学校中学年〜

作／ウルフ・スタルク　絵／スティーナ・ヴィルセン
訳／きただい えりこ
本体：1700円＋税／42頁／AB変判・上製　ISBN978-4-86412-234-2

難民を理解する初めの一歩に！
ようこそ！わたしの町へ
家をはなれてきた人たちと

様々な理由で住んでいた家を離れてきた人たちが、周りの人たちと仲よくなり、大切にされ、安心してくらすために何ができるかな？●幼児〜

協力／難民支援協会

文／ミアリー・ホワイトヒル、ジェニファー・ジャクソン
絵／ノマー・ペレズ　訳／上田勢子、堀切リエ
本体：1500円＋税／26頁／AB判・上製　ISBN978-4-86412-224-5

命が誕生するしくみを知るのって楽しい！

8歳からの性教育の絵本

とっても わくわく！するはなし
卵子、精子、出産、あかちゃん、家族のこと

♥ 卵子と精子の出会いからあかちゃんの誕生まで、子どもがわくわくして読めます。
♥ 体の内側、外側、月経や射精まで、わかりやすい図解と楽しいマンガ入り。
♥ 多様な家族や性、養子、性虐待、エイズまでおさえた内容。
♥ 世界各国で出版された、信頼のある性教育絵本の決定版。●小学校中学年〜

性教育の決定版！

作／ロビー・H. ハリス
絵／マイケル・エンバーリー
訳／上田勢子
監修／浅井春夫・艮香織
本体：2400円＋税／84頁／AB判／並製　ISBN978-4-86412-197-2

若者が性的同意を知るためのコミック

考えたことある？ 性的同意
知らないってダメかも

学校の帰り道、「新入生がレイプされた」と聞いた女子グループは、「同意」があったのか、「同意」とは何かを話すうちに、恋人との関係に話がおよびワイワイ。そこへ男子グループが加わって……。

問題点を投げかけ、考えられる構成で、教材や学習会にも最適。巻末に「考えるポイント」「用語解説」「相談先」を掲載。●中学生〜

作／ピート・ワリス＆タリア・ワリス
絵／ジョセフ・ウィルキンズ
訳／上田勢子　監修／水野哲夫
本体：1400円＋税／68頁／A5変判・並製　ISBN978-4-86412-201-6